16	3	2	13
5	10	11	8
9	6	7	12
4	15	14	1

Coleção LESTE

Lev Tolstói

FELICIDADE CONJUGAL

Tradução, posfácio e notas
Boris Schnaiderman

editora■34

EDITORA 34

Editora 34 Ltda.
Rua Hungria, 592 Jardim Europa CEP 01455-000
São Paulo - SP Brasil Tel/Fax (11) 3811-6777 www.editora34.com.br

Copyright © Editora 34 Ltda., 2009
Tradução © Boris Schnaiderman, 2009

A FOTOCÓPIA DE QUALQUER FOLHA DESTE LIVRO É ILEGAL E CONFIGURA UMA
APROPRIAÇÃO INDEVIDA DOS DIREITOS INTELECTUAIS E PATRIMONIAIS DO AUTOR.

Título original:
Siemiéinoie schástie

Imagem da capa:
Ernst Ludwig Kirchner, Eingang zum großen Garten in Dresden, *1905, aquarela, 35 x 45 cm (© bpk/Hamburger Kunsthalle/Elke Walford)*

Capa, projeto gráfico e editoração eletrônica:
Bracher & Malta Produção Gráfica

Revisão:
Alberto Martins

1ª Edição - 2009, 2ª Edição - 2010 (5ª Reimpressão - 2021)

CIP - Brasil. Catalogação-na-Fonte
(Sindicato Nacional dos Editores de Livros, RJ, Brasil)

T724f
Tolstói, Lev, 1828-1910
 Felicidade conjugal / Lev Tolstói;
tradução, posfácio e notas de Boris Schnaiderman
— São Paulo: Editora 34, 2010 (2ª Edição).
128 p. (Coleção Leste)

ISBN 978-85-7326-426-5

Tradução de: Siemiéinoie schástie

 1. Literatura russa. I. Schnaiderman, Boris.
II. Título. III. Série.

CDD - 891.73

FELICIDADE CONJUGAL

Primeira parte 7
Segunda parte... 61

Posfácio, *Boris Schnaiderman* 116

A presente tradução se baseou na edição das *Obras reunidas* de L. N. Tolstói publicada em 1958-1959 pela Goslitizdát (Editora Estatal de Literatura) de Moscou.

PRIMEIRA PARTE

I

Estávamos de luto por nossa mãe, que morrera no outono, e eu passei todo o inverno no campo, a sós com Kátia e Sônia.[1]

Kátia era velha amiga da casa, governanta que nos criara a todos, que eu amava e de quem me lembrava desde os meus primeiros anos. Sônia era a minha irmã menor. Passamos um inverno sombrio e triste em nossa velha casa de Pokróvskoie. Fazia um tempo frio, de vento, e os montes de neve aglomeravam-se mais alto que as janelas; estas geralmente ficavam geladas e foscas, e passamos quase todo o inverno sem ir a nenhuma parte. Raramente alguém nos visitava; e mesmo os que vinham não acrescentavam alegria a nossa casa. Todos tinham rostos tristes, todos falavam baixo, como que temendo acordar alguém, não riam, suspiravam e choravam amiúde, olhando-me e sobretudo à pequena Sônia, com seu vestidinho preto. Parecia-se sentir ainda a morte naquela casa; a tristeza e o horror da morte pairavam no ar. O quarto de nossa mãe estava trancado, eu sentia medo, e algo impelia-me a espiar aquele quarto frio e vazio, quando eu passava por ele, antes de me deitar.

Tinha então dezessete anos, e, no próprio ano de sua morte, minha mãe quisera mudar-se para a cidade, a fim de me introduzir na sociedade. A perda de mamãe foi para mim

---

[1] Diminutivos de Iecatierina (Catarina) e Sófia, respectivamente. (N. do T.)

um grande desgosto, mas devo confessar que esse desgosto fazia-me sentir também que eu era jovem, bonita, como todos me diziam, e que já estava passando inutilmente o segundo inverno, isolada na roça. Antes de acabar o inverno, este sentimento de angústia, solidão e simplesmente de fastio, cresceu a tal ponto que eu não deixava mais o quarto, não abria o piano e não pegava um livro sequer. Quando Kátia procurava convencer-me a ocupar-me disso ou daquilo, eu respondia: não quero, não posso, e em meu íntimo, algo dizia: para quê? Para que fazer alguma coisa, quando o meu tempo melhor se perde assim em vão? Para quê? E não havia outra resposta a este *para quê* a não ser as lágrimas.

Diziam-me que eu emagrecera e ficara mais feia nesse tempo, mas isto nem me despertava a atenção. Para quê? Para quem? Tinha a impressão de que toda a minha vida devia passar nessa solidão, nesse canto perdido, nessa angústia impotente, da qual eu mesma não tinha força nem vontade de sair. Por volta do fim do inverno, Kátia começou a temer pela minha saúde e resolveu levar-me a todo custo para o estrangeiro. Mas, para isto, precisava-se de dinheiro, nós quase não sabíamos o que nos ficara após a morte de nossa mãe, e todos os dias esperávamos o tutor, que devia chegar e verificar a nossa situação financeira.

O tutor chegou em março.

— Bem, graças a Deus! — disse-me Kátia de uma feita em que eu andava de um canto a outro, como uma sombra, sem uma ocupação, sem um pensamento, sem um desejo. — Sierguiéi Mikháilitch[2] chegou, mandou saber de nossa saúde e quis vir jantar conosco. Venha a si, minha Máchetchka[3] — acrescentou — senão, o que vai pensar de você? Ele gostava tanto de vocês todos.

---

[2] Corruptela de Mikháilovitch. (N. do T.)

[3] Diminutivo carinhoso de Mária. (N. do T.)

Sierguiéi Mikháilitch era nosso vizinho próximo e amigo de meu falecido pai, embora muito mais moço que este. Além de que a vinda dele alterava os nossos planos e dava a possibilidade de deixar a roça, eu me acostumara desde criança a amá-lo e respeitá-lo, e, ao aconselhar-me a vir a mim, Kátia adivinhara que, de todos os conhecidos, era diante de Sierguiéi Mikháilitch que eu mais sofreria por me apresentar sob um aspecto desfavorável. Além de eu gostar dele por hábito, a exemplo de todos em casa, a começar por Kátia e Sônia, suas afilhadas, até o último dos cocheiros, a sua pessoa tinha para mim uma importância especial, devido a certas palavras ditas por minha mãe na minha presença. Ela dissera que gostaria de um marido assim para mim. Isto me parecera então surpreendente e até desagradável; o meu herói era de todo diferente: magro, descarnado, pálido e tristonho. E Sierguiéi Mikháilitch era um homem já entrado em anos, alto, corpulento e, como me parecia, sempre alegre; mas, embora essas palavras de minha mãe me ficassem gravadas na imaginação, ainda seis anos atrás, quando eu tinha onze anos e ele tratava-me por *tu*, brincava comigo e chamava-me de *menina-violeta*, não era sem temor que eu às vezes perguntava a mim mesma o que faria se ele de repente quisesse casar comigo.

Sierguiéi Mikháilitch chegou antes do jantar, ao qual Kátia acrescentara doces, creme e molho de espinafre. Eu vi pela janela como ele se aproximou de nossa casa num trenó pequeno, mas, apenas dobrou a esquina, dirigi-me às pressas para a sala de visitas e quis fingir que de modo algum o esperava. Ouvindo, porém, na antessala um bater de pés, a sua voz sonora e os passos de Kátia, não me contive e fui ao seu encontro. Segurando a mão de Kátia, ele falava alto e sorria. Vendo-me, interrompeu-se e passou algum tempo olhando para mim, sem me cumprimentar. Fiquei encabulada e senti que enrubescia.

— Ah! Será possível que é você? — disse ele com a sua maneira decidida e singela, abrindo os braços e aproximando-se de mim. — Como é possível mudar assim?! Como cresceu! Isto é que é violeta! Tornou-se na realidade uma roseira.

Com a sua grande mão segurou a minha e apertou-a com força, honestamente, quase provocando dor. Eu pensei que fosse beijar-me a mão, e cheguei a inclinar-me para ele, mas apertou-a mais uma vez e, com olhar firme e alegre, fitou-me bem nos olhos.

Fazia seis anos que eu não o via. Mudara muito; envelheceu, escureceu e cobrira-se agora com umas suíças, o que não lhe ia nada bem; mas as suas maneiras singelas eram sempre as mesmas, tinha o mesmo rosto franco, honesto, de traços graúdos, os olhos inteligentes e brilhantes, o sorriso carinhoso, como que infantil.

Cinco minutos depois, deixara de ser visita, tornando-se uma pessoa de casa para todos nós, inclusive para os criados, que, a julgar pela presteza em servi-lo, alegravam-se particularmente com a sua vinda.

Comportava-se de maneira completamente diversa dos vizinhos que nos visitaram após a morte de minha mãe e que julgavam necessário calar-se e chorar, enquanto permaneciam em nossa casa; pelo contrário, ele estava falante, alegre, e não se referia sequer a minha mãe, de modo que a princípio esta indiferença me pareceu estranha e até inconveniente da parte de uma pessoa tão chegada. Depois eu compreendi que não era indiferença, mas sinceridade, e fiquei grata por esta.

À noitinha, Kátia sentou-se para servir o chá, no seu lugar de sempre, na sala de visitas, como fazia enquanto mamãe era viva; Sônia e eu sentamo-nos perto dela; o velho Grigóri trouxe para ele um cachimbo que pertencera a meu pai e que se conseguiu encontrar, e, como outrora, ele se pôs a caminhar pela sala.

— Quantas mudanças tremendas nesta casa, quando se pensa! — disse ele parando.

— Sim — replicou Kátia com um suspiro e, cobrindo o

samovar com a tampa pequena, olhou para ele, pronta a romper em pranto.

— Penso que se lembra do seu pai? — dirigiu-se ele a mim.
— Pouco — respondi.
— E como estaria agora bem com ele! — disse quieto e pensativo, olhando-me a cabeça, acima dos meus olhos. — Eu gostava muito do seu pai! — acrescentou ainda mais baixo, e eu tive a impressão de que os seus olhos brilharam mais.
— E Deus tomou-a para si! — disse Kátia e, no mesmo instante, pôs o guardanapo sobre a chaleira, apanhou um lenço e pôs-se a chorar.
— Sim, há mudanças tremendas nesta casa — repetiu ele, virando o rosto. — Sônia, mostre-me os seus brinquedos — acrescentou depois de algum tempo e foi para o salão. Quando ele saiu, olhei para Kátia, os olhos repletos de lágrimas.
— É um amigo tão bom! — disse ela.

E realmente senti algo bom e tépido em consequência do interesse manifestado por esse homem estranho e bondoso.

Ouviram-se da sala de visitas o pipilar de Sônia e o rebuliço que ele fazia brincando com a menina. Mandei-lhe chá; e ouviu-se ainda como ele se sentou ao piano e pôs-se a bater nas teclas com as mãozinhas de Sônia.

— Mária Aleksândrovna! — ressoou a voz dele. — Venha cá, toque alguma coisa.

Agradava-me o fato de que ele se dirigisse a mim com tamanha simplicidade e de modo amistoso e autoritário; levantei-me e aproximei-me dele.

— Toque isto — disse, abrindo um caderno de música, com o adágio da sonata *Quasi una fantasia*, de Beethoven.
— Vejamos como toca — acrescentou e afastou-se com o seu copo para um canto da sala.

Não sei por quê, senti ser impossível para mim, na sua companhia, recusar e fazer circunlóquios, no sentido de que eu tocava mal; sentei-me submissa ao teclado e comecei a tocar como sabia, embora temesse o julgamento, sabendo que ele compreendia e amava a música. O adágio estava no tom daquele sentimento de recordação despertado pela conversa à mesa de chá, e parece-me que toquei razoavelmente. Mas ele não me deixou executar o *scherzo*. "Não, você toca isto mal — disse, acercando-se de mim — deixe isto, mas o primeiro não estava ruim. Parece-me que compreende a música." Este elogio discreto alegrou-me tanto que até corei. Era muito novo e agradável para mim o fato de que ele, amigo e igual de meu pai, falasse comigo a sós, com seriedade, e não como se fala com uma criança, como fizera antes. Kátia foi para cima, a fim de deitar Sônia para dormir, e nós dois ficamos na sala.

Ele me falou de meu pai, de como se conheceram e de como viveram alegres no tempo em que eu ainda ficava sentada com os meus livros e brinquedos; e, através do seu relato, meu pai me aparecia pela primeira vez como uma pessoa simples e simpática, como eu não o conhecera até então. Interrogou-me também sobre os meus gostos, o que lia, o que pretendia fazer, e deu-me conselhos. Agora, ele era já para mim não alguém brincalhão e alegre, que me provocava e fazia gracejos, mas um homem sério, singelo, capaz de amor, e por quem eu sentia involuntariamente respeito e simpatia. Sentia certa leveza, era agradável, e ao mesmo tempo eu tinha, ao falar com ele, contra a minha vontade, um sentimento forçado. Eu temia cada uma das minhas palavras; tinha muita vontade de merecer eu mesma o seu amor, que já conseguira unicamente pelo fato de ser filha de meu pai.

Tendo deitado Sônia, Kátia juntou-se a nós e queixou-se a ele da minha apatia, sobre a qual eu não dissera nada.

— Ela deixou de me contar o principal — disse ele, sorrindo e acenando para mim a cabeça, numa censura.

— Contar o quê?! — disse eu. — Isto é muito cacete e vai passar. (Tinha realmente a impressão de que não só a minha angústia haveria de passar, mas que já passara e até não existira nunca.)

— É ruim não saber suportar a solidão — disse ele. — Você já não é mocinha?

— Claro que sim — respondi rindo.

— É mocinha má, que vive só enquanto a admiram, e apenas ficou sozinha, deixou-se abater e nada lhe agrada; é tudo para exibir, nada para si mesma.

— Bonita opinião tem a meu respeito — disse eu, apenas para não ficar calada.

— Não! — retrucou ele, depois de um curto silêncio. — Não é à toa que se parece com o seu pai, em você *existe algo* — e o seu olhar bondoso, atento, tornou a lisonjear-me e perturbou-me agradavelmente.

Somente então notei, por trás do seu rosto alegre à primeira vista, este olhar que era o único a possuir: a princípio claro, depois cada vez mais concentrado e um tanto tristonho.

— Você não pode, não deve aborrecer-se — disse ele — tem a música que você compreende, os livros, o estudo, a vida inteira pela frente, para a qual agora é que pode preparar-se, para não se lamentar mais tarde. Daqui a um ano, já será tarde.

Falou comigo como um pai ou um tio, e eu senti que ele continuamente se controlava, para ficar no meu nível. Era ofensivo, porque ele me considerava inferior a si, e agradável, porque somente por minha causa ele considerava necessário esforçar-se em ser outro.

Aquela noite, passou o resto do tempo tratando de negócios com Kátia.

— Bem, adeus, queridas amigas — disse ele por fim, levantando-se, acercando-se de mim e tomando-me a mão.

— Quando nos veremos de novo? — perguntou Kátia.

— Na primavera — respondeu ele, continuando a segurar-me a mão —, irei a Danílovka (a outra aldeia que possuíamos), verificarei lá as coisas, vou pôr em ordem o que puder, darei um pulo em Moscou, desta vez por causa dos meus negócios, e vamos encontrar-nos novamente no verão.

— Mas, por que tanto tempo? — disse eu com profunda tristeza: realmente já esperava vê-lo todos os dias, e de repente tive tanta pena e medo de que voltasse a minha angústia. Provavelmente, isto se refletiu em meu olhar e no tom da voz.

— Sim; ocupe-se mais, não desanime — disse ele, num tom que me pareceu demasiado frio e singelo. — E, na primavera, vou fazer-lhe um exame — acrescentou, soltando-me a mão e sem me olhar.

Na antessala onde paramos acompanhando-o, ele se apressou, vestindo a peliça, e tornou a percorrer-me com o olhar. "Ele esforça-se em vão! — pensei. — Acreditará realmente ser tão agradável para mim que ele me olhe? É uma pessoa de bem, muito bom mesmo... mas não passa disso."

Todavia, essa noite, Kátia e eu passamos muito tempo sem poder adormecer, falando não dele, mas de como haveríamos de passar aquele verão e como viveríamos no inverno. A terrível pergunta: para quê? — não se apresentava mais a mim. Parecia-me, com muita simplicidade e nitidez, que era preciso viver a fim de ser feliz, e aparecia-me muita felicidade no futuro. Era como se de repente a nossa velha e sombria casa de Pokróvskoie se tivesse enchido de vida e luz.

II

No entretanto, chegou a primavera. A minha angústia primeira passou, sendo substituída pela angústia dos devaneios primaveris, dos desejos e esperanças incompreensíveis. Embora eu não vivesse como no início do inverno e me ocupasse com Sônia, com a música, com a leitura, saía frequentemente para o jardim e passava muito, muito tempo a vaguear sozinha pela alameda ou ficava sentada num banco, pensativa, desejando e esperando Deus sabe o quê. Às vezes, eu passava noites a fio, sobretudo se fazia luar, sentada até o amanhecer à janela do meu quarto, e, de quando em quando, às escondidas de Kátia, coberta apenas com um casaquinho, saía para o jardim e corria sobre o chão orvalhado até o açude; de uma feita, cheguei a ir de noite para o campo e dar sozinha a volta a todo o jardim.

Atualmente, é difícil lembrar e compreender os sonhos que me enchiam então a imaginação. Mesmo quando os lembro, não consigo acreditar que tenham sido justamente estes os meus sonhos. Tão estranhos eram eles, tão afastados da vida.

Em fins de maio, Sierguiéi Mikháilitch regressou da sua viagem, conforme prometera.

A primeira vez chegou à noitinha, quando absolutamente não o esperávamos. Estávamos sentadas no terraço, preparando-nos para tomar chá. O jardim já estava todo verde, e nos canteiros cobertos de vegetação os rouxinóis instalaram-se para passar todo o mês de junho. As moitas densas dos lilases apareciam como que polvilhadas de branco e roxo. Eram as flores que se preparavam para desabrochar. A folhagem na alameda de bétulas era de todo transparente ao pôr do sol. Havia uma sombra fresca no terraço. O denso orvalho noturno cairia ainda sobre a erva. No quintal, além do jardim, ouviam-se os derradeiros sons do dia, o barulho do rebanho tangido de volta; o pateta Níkon passava com um barril pelo caminho diante do terraço, e um jato de água fria, saindo em círculos do regador, enegrecia a terra revolvida junto aos caules das dálias e suas estacas. No terraço, o samovar bem areado brilhava e fervia sobre a toalha branca, havia creme de leite, broinhas, biscoitos. Kátia, o ar de dona de casa, passava água fervente nas xícaras com as suas mãos rechonchudas. Faminta depois do banho, eu comia pão com creme fresco, espesso, sem esperar que me servissem chá. Vestia uma blusa de linho, de mangas abertas, e tinha os cabelos molhados amarrados com um lenço. Kátia foi a primeira a vê-lo, ainda pela janela.

— Ah! Sierguiéi Mikháilitch! — exclamou. — E nós que acabamos de falar a seu respeito!

Levantei-me e quis ir trocar-me, mas ele me encontrou à porta.

— Ora, que cerimônias são estas na roça? — disse, olhando a minha cabeça amarrada com lenço e sorrindo. — Você não se envergonha de Grigóri, e, realmente, para você, eu sou Grigóri.[4] — Mas justamente nesse momento tive a impressão de que ele me olhava de maneira completamente diversa do que o faria Grigóri, e senti constrangimento.

— Voltarei daqui a um instante — disse, afastando-me dele.

— Mas o que há de ruim nisso aqui?! — gritou na minha direção. — Parece moçoila do campo.

---

[4] Isto é, criado da casa, que não é preciso tratar pelo patronímico. (N. do T.)

"Ele me dirigiu um olhar tão estranho — pensei, trocando-me às pressas no segundo andar. — Bem, graças a Deus que ele veio, isso ficará mais alegre!" E, depois de me olhar no espelho, corri alegre escada abaixo e, não escondendo que me apressara, entrei ofegante no terraço. Ele estava sentado à mesa e relatava a Kátia as nossas condições financeiras. Depois de me lançar um olhar, sorriu e continuou falando. Segundo dizia, os nossos negócios estavam excelentes. Agora, só devíamos passar o verão na roça e, depois, viajar para Petersburgo, por causa dos estudos de Sônia, ou para o estrangeiro.

— Seria bom se viajasse conosco para o estrangeiro — disse Kátia —, pois sozinhas estaremos como que perdidas numa floresta.

— Ah! Que bom seria viajar com vocês em volta do mundo! — disse ele, meio brincalhão, meio sério.

— E então? — disse eu. — Façamos a volta ao mundo.

Ele sorriu e meneou a cabeça.

— E minha mãe? E os negócios? — disse. — Bem, não é disso que se trata, conte-me como passou o tempo. Será possível que tornou a fraquejar?

Quando lhe contei que na sua ausência eu estudara e não me aborrecera, o que foi confirmado por Kátia, ele me elogiou e acarinhou-me com o olhar, como a uma criança, como se tivesse direito a isso. Parecia-me indispensável comunicar-lhe minuciosamente e com particular franqueza tudo o que eu fazia de bom, e confessar-lhe, como diante de um sacerdote, tudo o que podia deixá-lo descontente. O anoitecer era tão agradável que, recolhidos os petrechos de chá, ficamos no terraço, e a conversa era tão interessante para mim que nem percebi como se aquietaram em volta de nós os ruídos humanos. De todos os lados, as flores desprenderam odor mais forte, um rocio abundante molhou a erva, um rouxinol cantou em moita de lilases nas proximidades, mas calou-se apenas ouviu as nossas vozes; o céu estrelado parecia ter descido sobre nós.

Percebi que escurecera somente porque um morcego penetrou de súbito, sem ruído, sob a lona do terraço e agitou-se perto do meu lenço branco. Encolhi-me junto à parede e já queria gritar, mas o bicho mergulhou, igualmente depressa e sem ruído, por baixo do toldo e sumiu no lusco-fusco do jardim.

— Como eu gosto daqui, de Pokróvskoie — disse ele, interrompendo a conversa. — Seria capaz de passar a vida inteira sentado assim no terraço.

— Ora, fique assim sentado — disse Kátia.

— Pois sim, fique-se sentado — disse ele —, a vida não espera.

— Por que não se casa? — disse Kátia. — Daria um marido excelente.

— Porque gosto de ficar sentado — riu ele. — Não, Katierina[5] Kárlovna, nós dois não vamos mais casar. Há muito tempo que todos deixaram de me encarar como alguém passível de se casar. E eu mesmo ainda mais, e desde então me sinto tão bem, palavra.

Tive a impressão de que dizia isto de certa maneira cativante e pouco natural.

— Isto é que serve! Trinta e seis anos, e já se considera liquidado — disse Kátia.

— E como me liquidei! — continuou ele. — Só tenho vontade de ficar sentado. E, para casar, é preciso outra coisa. Pergunte a ela — acrescentou, indicando-me com a cabeça. — Temos que casar essa gente. E nós dois vamos alegrar-nos por eles.

No tom da sua voz, havia uma tristeza oculta e algo forçado, que não me escapou. Calou-se algum tempo; Kátia e eu também não dissemos nada.

— Bem, imagine — prosseguiu, virando-se na cadeira —, se eu de repente, em consequência de algum acaso infe-

---

[5] Corruptela de Iecatierina (Catarina). (N. do T.)

liz, me casasse com uma menina de dezessete anos, por exemplo a Mach...[6] não, Mária Aleksândrovna. Eis um belo exemplo, estou muito contente porque isto me saiu assim... é o melhor dos exemplos.

Ri e não consegui compreender por que ele estava tão contente e o que estava saindo assim...

— Bem, diga-me a verdade, a mão no coração — disse ele, dirigindo-se a mim, num gracejo —, não seria para você uma infelicidade unir a sua vida a um homem velho, já vivido, que só quer ficar sentado, enquanto você tem Deus sabe que ideias fervilhando na mente, Deus sabe que vontades?

Fiquei constrangida, calei-me, sem saber o que responder.

— Eu não lhe estou propondo casamento — disse ele rindo —, mas, diga-me a verdade, não é com um marido assim que sonha quando, à noitinha, passeia sozinha pela alameda; e bem que isto seria uma infelicidade?

— Uma infelicidade não... — comecei.

— Mas não seria bom — concluiu ele.

— Sim, mas eu posso me enga...

Tornou a interromper-me, porém.

— Bem, está vendo, e ela tem toda a razão, eu lhe fico agradecido pela franqueza e muito contente porque tivemos esta conversa. E ainda é pouco, isto seria para mim a maior infelicidade — acrescentou ele.

— Como você é estranho, não mudou em nada — disse Kátia e saiu do terraço, a fim de mandar pôr a mesa para a ceia.

Calamo-nos ambos depois que Kátia saiu, e em volta tudo estava quieto também. Somente o rouxinol trinou não mais como o faz à noitinha, isto é, indeciso, interrompendo-se, mas à maneira noturna, sem se apressar, tranquilo, enchendo o jardim de sons, e de longe, do fundo da ravina, um

---

[6] Macha é um diminutivo de Mária. (N. do T.)

Felicidade conjugal

outro lhe respondeu, a primeira vez naquela noite. O mais próximo calou-se, como que prestando atenção por um instante, e gorjeou ainda mais abruptamente, com mais esforço, espalhando o seu canto sonoro. E essas vozes ressoavam tranquilas, soberanas, em seu mundo noturno, ignoto para nós. O jardineiro passou, indo dormir na estufa, ressoaram sobre o caminho os seus passos que se afastavam, marcados por botas grossas. Alguém assobiou fortemente duas vezes, ao pé do morro, e tudo tornou a aquietar-se. Uma folha tremeu quase imperceptível, agitou-se o pano do terraço, e, balançando-se no ar, algo cheiroso chegou até ali, difundindo-se. Eu me constrangia de ficar calada depois do que fora dito, mas não sabia o que dizer. Olhei para ele. Na penumbra, os seus olhos brilhantes voltaram-se para mim.

— É tão bom viver no mundo! — disse ele.

Suspirei por alguma razão.

— O quê?

— É tão bom viver no mundo! — repeti.

Tornamos a calar-nos e fiquei novamente constrangida. Vinha-me sem cessar à mente que eu o ofendera, concordando com ele que era velho, e queria consolá-lo, mas não sabia como fazê-lo.

— Bem, até a vista — disse, levantando-se —, minha mãe espera-me para a ceia, quase não a vi hoje.

— E eu queria tocar para você uma nova sonata — disse eu.

— Outro dia — replicou-me com frieza, foi a minha impressão.

— Até a vista.

Fortaleceu-se em mim a impressão de que o ofendera, e lamentei isto. Acompanhei-o com Kátia até a saída, e ficamos ambas paradas, vendo como ele se afastava pela estrada. Quando não se ouvia mais o passo do seu cavalo, dei a volta à casa, fui para o terraço e fiquei olhando novamente o jardim, e por muito tempo ainda vi e ouvi, em meio à névoa orvalhada, em que pairavam os sons noturnos, aquilo que eu queria ver e ouvir.

Ele veio mais uma vez, uma terceira, e o constrangimento, proveniente da estranha conversa ocorrida entre nós, desapareceu de todo e não voltou mais. No decorrer do verão, ele vinha visitar-nos duas ou três vezes por semana; acostumei-me a ele tanto que, se tardava, eu começava a sentir o peso de minha vida solitária, zangava-me e achava que se portava mal, abandonando-me. Tratava-me como um jovem amigo de quem se gosta, interrogava, provocava-me à maior franqueza, dava conselhos, estimulava, às vezes censurava e detinha-me. Mas, apesar de todos os seus esforços para tratar-me como sua igual, eu sentia que, por trás daquilo que eu compreendia nele, ficava todo um mundo ignorado, em que ele não considerava necessário introduzir-me, e isto mais que tudo sustinha em mim o respeito por ele e atraía. Eu sabia por meio de Kátia e dos vizinhos que, além dos cuidados com a velha mãe, com quem vivia, além da sua propriedade e da tutela sobre nós, ele tinha uns casos seus, relacionados com a sua condição de nobre, e que provocavam às vezes situações bem desagradáveis; mas eu nunca pude saber por meio dele como encarava tudo isso, quais eram as suas convicções, projetos, esperanças. Mal eu orientava a conversa para os seus negócios, ele fazia uma careta, que lhe era peculiar, como que dizendo: "Chega, por favor, o que tem a ver com isso?" — e mudava de assunto. No começo, ficava ofendida, mas depois me acostumei a tal ponto com isso que nós sempre conversávamos unicamente de assuntos referentes a mim, e eu já considerava isso natural.

A princípio não me agradou, mas depois, pelo contrário, passei a achar agradável a sua completa indiferença e como que desdém pela minha aparência. Nunca me sugeria, por um olhar ou por uma palavra, ser eu bonita, e, pelo contrário, fazia careta e ria se, na sua presença, alguém me chamava de bonitinha. Gostava até de encontrar em mim defeitos de físico e espicaçava-me com eles. Os vestidos da moda e os penteados, com os quais Kátia gostava de me enfeitar nos dias solenes, despertavam somente as suas zombarias, que ofendiam a boa Kátia e de início, deixavam-me desnorteada. Tendo decidido em seu íntimo que eu agradava a ele, Kátia não conseguia de modo algum compreender como se podia deixar de apreciar que uma mulher do nosso gosto nos aparecesse sob a aparência mais favorável. Mas eu logo compreendi o que ele necessitava. Queria acreditar que em mim não havia coquetismo. E, depois que eu compreendi isso, realmente não me sobrou nem sombra de coquetismo nos trajes, nos penteados, nos movimentos; e em compensação, apareceu, cosido a linha branca, o coquetismo da simplicidade, numa época em que eu ainda não podia ser simples. Eu sabia que ele me amava — como uma criança ou como mulher, eu ainda não me interrogava; tinha em alto preço este amor, e, sentindo que ele me considerava como a melhor das moças no mundo, não podia deixar de desejar que esta mentira permanecesse nele. E, involuntariamente, eu o enganava. Mas, enganando-o, eu própria me tornava melhor. Sentia o quanto era melhor e mais digno para mim exibir-lhe as melhores partes do meu espírito que as do corpo. Ele atribuíra imediatamente o devido valor, parecia-me, aos meus cabelos, às mãos, ao rosto, aos gestos habituais, quaisquer que fossem, bons ou maus, e conhecia-os tão bem que eu nada poderia acrescentar ao meu físico, além de um desejo de enganar. Mas ele não conhecia o meu espírito, porquanto o amava e porque este, na mesma época, crescia e desenvolvia-se: era nisso que eu podia enganá-lo e o enganava. E que leveza eu senti na sua companhia, depois que percebi isso com nitidez! Desapareceram em mim de todo os constrangimentos sem motivo, os movimentos freados. Eu sentia que, estando de frente ou de lado, sentada ou em pé, ele me via, quer eu estivesse com os cabelos para cima ou para baixo: conhecia-me toda e, a meu ver, estava contente comigo, como eu era. Penso que se, contrariando os seus hábitos, ele me dissesse de repente, como os demais, que eu tinha um rosto lindo, eu não me alegraria um pouco sequer. Mas, em compensação, que prazer, que claridade, apareciam-me na alma quando, após alguma palavra minha, e depois de me olhar fixamente, ele me dizia, a voz perturbada, à qual procurava infundir um tom brincalhão:

— Sim, sim, você *tem algo*. É moça simpática, devo dizer-lhe.

E por que eu recebia então tamanhas recompensas, que me enchiam o coração de alegria e orgulho? Porque eu dizia simpatizar com o amor do velho Grigóri por sua neta, porque eu me comovia até as lágrimas com a poesia ou o romance que acabava de ler, ou porque preferia Mozart a Schulhof. E era surpreendente, pensei, com que intuição extraordinária eu percebia então tudo o que era bom e que se devia amar; embora eu então decididamente não soubesse o que era bom e o que se devia amar. Grande parte dos meus hábitos e gostos anteriores não lhe agradavam, e bastava que ele mostrasse, com um movimento das sobrancelhas ou com um olhar, desagradar-lhe aquilo que eu pretendia dizer, bastava que apresentasse a sua expressão peculiar, lastimável, quase desdenhosa, e eu tinha já a impressão de não gostar mais daquilo de que eu gostava antes. Às vezes, ele apenas queria aconselhar-me algo, e eu já parecia saber o que diria. Se me formulava uma pergunta, fitando-me nos olhos, o seu olhar puxava para fora de mim o pensamento que queria. Todos os meus pensamentos, todos os meus sentimentos de então não eram meus, eram pensamentos e sentimentos dele, que de repente se tornaram meus, passaram para a minha vida e iluminaram-na. De maneira totalmente imperceptível para mim, passei a encarar com outros olhos tudo: Kátia, os nossos criados, Sônia, eu mesma, as minhas ocupações. Os livros, que eu lera até então unicamente para combater o tédio, tornaram-se de súbito para mim um dos maiores prazeres da existência; e tudo isto unicamente porque eu conversara com ele sobre livros, porque os lemos juntos e porque ele os trazia para mim. Antes, os estudos com Sônia, as aulas que eu lhe dava, eram uma obrigação penosa, que eu me esforçava em cumprir unicamente por consciência do dever; ele assistiu, porém, a uma aula, e acompanhar os sucessos de Sônia tornou-se então uma alegria. Parecia-me antes impossível aprender toda uma peça de música; mas agora, sabendo que ele a ouviria e que talvez me elogiasse, tocava quarenta vezes o mesmo trecho, de modo que a pobre Kátia enfiava algodão nos ouvidos, e eu não me aborrecia absolutamente. As mesmas velhas sonatas agora fraseavam-se de maneira totalmente diversa, saíam bem diferentes e muito melhores. Mesmo Kátia, que eu conhecia e amava como a mim mesma, transformara-se aos meus olhos. Somente agora eu compreendi que ela não era de nenhum modo obrigada a ser mãe, amiga, escrava, como fora até então conosco. Compreendi toda a abnegação e devotamento dessa criatura repassada de amor, compreendi tudo o que lhe devia; e passei a amá-la ainda mais. Também ele ensinou-me a olhar os nossos camponeses, os criados, as empregadas domésticas de maneira totalmente nova. É ridículo dizê-lo, mas até os dezessete anos eu vivi em meio a essa gente, mais estranha a ela que em relação às pessoas que eu jamais conheci; nunca pensei que, tal como eu, eles tivessem amores, desejos, comiseração. O nosso jardim, os nossos bosques, os nossos campos, que eu conhecia desde tanto tempo, tornaram-se de repente novos e belos para mim. Não era em vão que ele dizia existir na vida apenas uma felicidade indiscutível: viver para outrem. Parecia-me então estranho, eu não compreendia isto; mas essa convicção, mais do que a ideia, já me penetrava o coração. Ele desvendou para mim toda uma existência de alegrias no presente, sem alterar nada em minha vida, sem acrescentar nada, além de si mesmo, a cada impressão. À minha volta, tudo era quieto, como o fora desde a minha infância, mas bastava que ele chegasse, e tudo passava a falar, todas as coisas pediam entrada em minh'alma, uma de cada vez, e enchiam-na de felicidade.

Nesse verão, eu subia frequentemente ao meu quarto, deitava-me no leito, e apossava-se de mim, em lugar da anterior angústia primaveril dos desejos e esperanças no futuro, um sobressalto de felicidade no presente. Não conseguia adormecer, levantava-me, sentava-me na cama de Kátia e dizia-lhe ser inteiramente feliz, o que, segundo lembro agora, era de todo desnecessário dizer-lhe: ela mesma podia vê-lo. Mas ela dizia-me não precisar de nada, que era também muito feliz, e beijava-me. Eu acreditava nela, parecia-me tão indispensável e justo que todos fossem felizes. Mas acontecia também estar Kátia cuidando de dormir, e às vezes ela até se fingia zangada, enxotava-me do seu leito e adormecia; e eu ainda passava muito tempo examinando aquilo que me fazia tão feliz. Às vezes, levantava-me para uma oração, outras vezes rezava com as minhas próprias palavras, a fim de agradecer a Deus toda a felicidade que me concedera.

O quarto pequeno estava quieto; somente Kátia respirava sonolenta e regularmente, o relógio tiquetaqueava ao seu lado, eu me virava e murmurava, ou persignava-me e beijava a cruz que me pendia do pescoço. A porta estava fechada, havia persianas nas janelas, algum mosquito ou mosca balançava-se e zunia no mesmo lugar. E eu tinha vontade de nunca sair desse quartinho, não queria que chegasse a manhã e se dissipasse essa atmosfera interior, que me rodeava. Tinha a impressão de que os meus sonhos, pensamentos e rezas eram seres vivos, que viviam comigo ali na treva, que esvoaçavam junto ao meu leito, que pairavam sobre mim. E cada pensamento era um pensamento dele, cada sentimento também. Então ainda não sabia que era amor, pensava que isto podia ser sempre assim e que este sentimento nos era dado gratuitamente.

III

De uma feita, por ocasião do transporte do trigo, fui com Kátia e Sônia, depois do jantar, para o jardim, e dirigimo-nos para o nosso banco predileto, à sombra das tílias, sobre a ravina, além da qual se viam campos e florestas. Fazia uns três dias que Sierguiéi Mikháilitch não nos visitava, e o esperávamos aquele dia, tanto mais que o nosso administrador dissera que ele prometera ir ao nosso campo. Era mais de uma quando o vimos passar a cavalo, na direção do campo de centeio. Depois de me olhar sorrindo, Kátia mandou trazer pêssegos e cerejas, de que ele gostava muito, deitou-se num banco e cochilou. Arranquei um galho torto e achatado de tília, de folhas suculentas e casca também suculenta, que me molhou a mão e, abanando Kátia, continuei a ler, afastando a todo momento os olhos e dirigindo-os para a estrada do campo, pela qual ele devia chegar. Sônia estava construindo um caramanchão de bonecas, junto à raiz de uma velha tília. Era um dia sem vento, abrasador, as nuvens uniam-se e negrejavam, uma tempestade armava-se desde manhã. Eu estava perturbada, como sempre antes de uma tempestade. Mas, a partir de meio-dia, as nuvens tinham começado a desfazer-se pelos bordos, o sol deslizara para o céu limpo, e somente num canto da paisagem ressoavam uns ribombos, e ziguezagues pálidos de raio, indo até o chão, perfuravam de raro em raro a densa nuvem parada sobre o horizonte, e que se confundia com a poeira dos campos. Era evidente que, pelo menos onde estávamos, a tempestade não se formaria. Sobre a estrada que se via a trechos além do jardim, incessantemente, ora se arrastavam devagar altas e rangentes carroças, carregadas de feixes, ora telegas vazias vinham ao seu encontro, depressa, fazendo barulho, pernas tremiam e camisas apareciam desfraldadas ao vento. A poeira densa não se afastava nem pousava, mas ficava no ar, além da cerca, entre a folhagem transparente das árvores do jardim. Mais longe, sobre a eira, ouviam-se as vozes, o mesmo ranger de rodas, e os mesmos feixes amarelos, que se moviam lentamente junto ao nosso muro, ali voavam no ar e, aos meus olhos, cresciam casas ovais, destacavam-se os seus telhados pontudos, e os vultos dos mujiques afanavam-se sobre eles. Na frente, sobre o campo empoeirado, moviam-se também as telegas, e viam-se os mesmos feixes amarelos, e vinham igualmente de longe sons de telegas, vozes e canções. De uma banda, o campo ceifado aparecia cada vez mais aberto, com faixas de losna crescidas nos intervalos. Mais à direita, embaixo, sobre o campo ceifado, onde havia um emaranhado deselegante, viam-se as roupas coloridas de mulheres que amarravam os molhos, abaixavam-se e agitavam os braços, e o campo emaranhado ficava mais limpo, com bonitos feixes distribuídos sobre ele a pequenos intervalos. O verão como que se transformou aos meus olhos em outono. Havia poeira e calor, em toda parte com exceção do nosso lugarzinho predileto no jardim. O povo trabalhador conversava, fazia barulho e movia-se vindo de todos os lados, em meio a esta poeira e este calor abrasador.

E Kátia ia ressonando tão docemente sob um lencinho branco de cambraia, deitada sobre o nosso banco sombreado, as cerejas pretejavam tão brilhantes e suculentas no prato, as nossas roupas eram tão frescas e limpas, a água brilhava na caneca, tão irisada e tão clara, e eu me sentia tão bem! "O que fazer? — pensei — Que culpa eu tenho de ser feliz? Mas como partilhar a felicidade com outrem? Como e a quem entregar-me toda, com toda esta felicidade?..."

O sol já se pusera além dos topos da alameda de bétulas, a poeira deitava-se no campo, os longes apareciam mais nítidos e claros com a iluminação lateral, as nuvens já se dispersavam completamente, viam-se por entre as árvores, na eira, três novos telhados de medas, e mujiques desceram deles; telegas passaram a toda velocidade, provavelmente pela última vez, acompanhadas de altos gritos; mulheres com ancinhos nos ombros e com laços no cinto passaram a caminho de casa, entoando alto uma canção, e Sierguiéi Mikháilitch não vinha ainda, embora eu o tivesse visto havia muito descer o declive. De repente, porém, o seu vulto apareceu na alameda, do lado pelo qual eu não o esperava (fizera um rodeio pela ravina). Tendo tirado o chapéu, caminhava na minha direção, o rosto alegre, cintilante, os passos rápidos. Vendo Kátia adormecida, mordeu o lábio, fechou os olhos e caminhou nas pontas dos pés; percebi no mesmo instante que ele estava naquela sua disposição peculiar de alegria sem motivo, de que eu gostava tremendamente, e que nós chamávamos de entusiasmo selvagem. Parecia um escolar fazendo gazeta; todo o seu ser, do semblante aos pés, respirava satisfação, felicidade e uma vivacidade infantil.

— Boa tarde, como vai, jovem violeta? Bem? — disse num murmúrio, aproximando-se e apertando-me a mão... — Quanto a mim, estou admiravelmente bem — disse, respondendo a uma pergunta minha — tenho hoje treze anos, e quero brincar de cavalinho e trepar nas árvores.

— Com um entusiasmo selvagem? — disse eu, espiando os seus olhos risonhos e sentindo que aquele *entusiasmo selvagem* comunicava-se a mim.

— Sim — respondeu ele piscando o olho e contendo um sorriso. — Mas, para que precisa bater no nariz de Katierina Kárlovna?

Olhando para ele e continuando a agitar o ramo, eu nem notara que, tendo arrancado o lenço de Kátia, roçava-lhe o rosto com as folhas. Dei risada.

— E ela vai dizer que não dormiu — murmurei, como

que para não acordar Kátia, mas na realidade por outro motivo: simplesmente, agradava-me falar com ele em murmúrio.

Moveu os lábios, arremedando-me, como se eu já estivesse falando tão baixo que não se conseguisse ouvir nada. Vendo o prato das cerejas, agarrou-o como que às escondidas, caminhou na direção da tília sob a qual estava Sônia e sentou-se sobre as suas bonecas. Ela zangou-se a princípio, mas logo ele fez as pazes, depois de combinar uma competição para se ver quem comeria as cerejas mais depressa.

— Se quiser, vou mandar trazer mais — disse eu — ou então vamos nós buscar.

Ele apanhou o prato, sentou nele as bonecas, e fomos os três em direção de um depósito. Rindo, Sônia corria atrás de nós, puxando-o pelo sobretudo, para que devolvesse as bonecas. Devolveu-as e dirigiu-se a mim com gravidade.

— Ora, então não é uma violeta? — disse-me, ainda baixo, embora não houvesse já a quem acordar. — Mal me aproximei de você, depois de toda essa poeira, calor, trabalhos, e senti um aroma de violeta. E não foi a violeta perfumosa, mas — sabe? — a violeta primeira, escurinha, que cheira a neve derretida e a erva de primavera.

— Diga-me: tudo vai bem na propriedade? — perguntei, para esconder a confusão de júbilo, que me causaram as suas palavras.

— Admiravelmente! Este povo é magnífico em toda parte. Quanto melhor a gente o conhece, mais gosta dele.

— Sim — disse eu —, hoje, antes de você chegar, eu estava olhando do jardim os trabalhos do campo, e de repente fiquei tão constrangida porque eles trabalham e eu estou tão bem que...

— Não faça coquetismo com isto, minha amiga — interrompeu-me ele, de repente sério, mas fitando-me com carinho nos olhos —, é uma causa sagrada. Que Deus a livre de exibir-se com isto.

— Mas é apenas a *você* que o digo.

Felicidade conjugal

— Sim, eu sei. Bem, que tal as cerejas?

O depósito estava fechado e não se encontrava por ali nenhum dos jardineiros (ele os enviava todos para os trabalhos no campo). Sônia correu para buscar a chave, mas, antes que voltasse, ele trepou sobre um canto da parede, ergueu a rede que havia ali e pulou para o outro lado.

— Quer? — ouvi de lá a sua voz. — Dê-me o prato.

— Não, eu mesma quero apanhar, vou buscar a chave — disse eu —, Sônia não a encontrará...

Mas, ao mesmo tempo, quis ver o que ele estava fazendo ali, como olhava tudo, como se movia supondo que ninguém o visse. Nessa ocasião, eu simplesmente não queria perdê-lo de vista nem um instante. Pondo-me nas pontas dos pés corri sobre urtigas e rodeei o depósito pelo lado oposto, onde ele era mais baixo, e, trepando sobre uma tina vazia, de modo que a parede me ficou abaixo do peito, inclinei-me para dentro do depósito. Meus olhos percorreram o interior, com as suas velhas árvores tortas e com as largas folhas dentadas, por trás das quais pendiam, pesados e retos, os frutos negros, sumarentos, e, enfiando a cabeça sob a rede, vi Sierguiéi Mikháilitch por baixo do galho tortuoso de uma velha cerejeira. Provavelmente, pensava que eu fora embora, que ninguém o estava vendo. Tendo tirado o chapéu, os olhos fechados, permanecia sentado sobre as ruínas de uma velha árvore e diligentemente rolava numa bolinha um pouco de resina de cerejeira. De repente, deu de ombros, abriu os olhos, disse algo e sorriu. Aquela palavra e aquele sorriso eram tão inusitados nele que eu me envergonhei de o estar espionando. Tive a impressão de que a palavra era: Macha. "Não pode ser" — pensei. "Macha querida!" — repetiu ele mais baixo e com mais carinho ainda. Mas desta vez ouvi distintamente essas duas palavras. O coração bateu-me com tamanha força e uma alegria tão perturbadora, como que proibida, envolveu-me de repente que eu me agarrei com ambos os braços à parede a fim de não cair e não me trair. Ele percebeu o movimento, olhou em volta assustado, baixou de chofre os olhos e corou como uma criança. Queria dizer-me algo, mas não conseguia, e o seu rosto abrasava-se cada vez mais. Todavia, ao olhar-me, sorriu. Sorri também. Todo o seu rosto brilhou de alegria. Ele não era mais um velho tio, que me acarinhara e me orientara, era uma pessoa igual a mim, que me amava e me temia e a quem eu também temia e amava. Não dissemos nada e apenas ficamos olhando-nos. Mas, de repente, tornou-se sombrio, desapareceram-lhe o sorriso e o brilho dos olhos, e ele dirigiu-se a mim com frieza, novamente num tom paternal, como se tivéssemos feito algo ruim, e ele, depois de voltar a si, me aconselhasse a fazer o mesmo.

— Mas desça daí, vai machucar-se — disse ele. — E dê um jeito no cabelo, veja o que parece.

"Por que ele finge? Por que procura magoar-me?" — pensei com despeito. E no mesmo instante veio-me um desejo invencível de perturbá-lo mais uma vez, de experimentar sobre ele a minha força.

— Não, eu mesma quero apanhar as frutas — disse eu e, agarrando-me ao galho mais próximo, pulei para cima do muro. Ele não teve tempo de me apoiar, e eu já saltava para o chão do depósito.

— Você está fazendo tanta bobagem! — disse ele, tornando a corar e procurando ocultar o seu embaraço sob o aspecto de uma irritação. — Bem que podia machucar-se. E como vai sair daqui?

Estava ainda mais confuso que antes, porém desta vez o seu estado de confusão não me alegrou, mas assustou-me. Ele comunicou-se a mim, corei e, fugindo ao seu olhar e não sabendo o que dizer, comecei a apanhar as frutas, que não tinha onde pôr. Eu me censurava, arrependia-me, tinha medo, a par da impressão de que me destruíra para sempre aos seus olhos com aquela ação. Ficamos calados, ambos com um sentimento penoso. Sônia, que trouxera correndo a chave, tirou-nos dessa difícil situação. Depois disso, passamos muito tempo sem nos falar, e ambos nos dirigíamos a Sônia. Quando voltamos para junto de Kátia, que procurou convencer-nos de que não dormira e que ouvira tudo, eu me acalmei, e ele esforçou-se em readquirir o seu tom paternal e protetor, mas não o conseguia e não enganava mais. Lembrei-me então vivamente de uma conversa que tivemos alguns dias antes.

Kátia falava de como era mais fácil a um homem do que a uma mulher amar e expressar o seu amor.

— Um homem pode dizer que ele ama, uma mulher não — afirmou ela.

— E eu tenho a impressão de que também o homem não deve e não pode dizer que ama — replicou ele.

— Por quê? — perguntei.

— Porque isto será sempre mentira. Que novidade há em um homem estar amando? É como se, apenas ele diga isto, algo bata com estrépito: bumba! — ele ama. É como se, apenas ele pronuncie essa palavra, deva acontecer algo fora do comum, e canhões sem conta dispararem no mesmo instante, em nome de nobres ideais. Parece-me — continuou ele — que homens que proferem solenemente as palavras "Eu te amo" enganam a si mesmos ou, o que é pior ainda, enganam a outrem.

— Mas como vai saber uma mulher que ela é amada, se não lhe disserem isso? — perguntou Kátia.

— Isso eu não sei — respondeu ele —, cada um tem as suas próprias palavras. E, se existe sentimento, este há de se expressar. Quando leio romances, imagino sempre o rosto preocupado que devem ter o tenente Striélski ou Alfredo, ao dizer: "Amo-te, Leonor!" — e ao pensar que deverá ocorrer de súbito algum fato incomum; e nada acontece nem com ela nem com ele: são os mesmos olhos, o mesmo nariz, é tudo o mesmo.

Já então, eu percebera nesse gracejo algo sério, relativo a mim, mas Kátia não permitia que se tratasse com ligeireza os heróis de romance.

— Os seus eternos paradoxos — disse ela. — Ora, diga a verdade, você mesmo nunca disse a uma mulher que a amava?

— Nunca disse isto, nunca pus um joelho em terra — respondeu ele rindo —, e nunca hei de fazê-lo.

"Sim, ele não precisa dizer que me ama — pensei agora com vivacidade, lembrando aquela conversa. — Ele me ama, eu sei. E todos os seus esforços de aparentar indiferença não me convencerão do contrário."

No decorrer de todo o serão, ele conversou comigo pouco, mas em cada uma das suas palavras a Kátia, a Sônia, em cada um dos seus movimentos e olhares, eu via amor e não duvidava deste. Eu somente me aborrecia e tinha pena dele porque ainda considerava necessário disfarçar e fingir-se frio, quando tudo já era tão evidente, e quando seria tão fácil e simples tornar-se tão impossivelmente feliz. Mas atormentava-me como um crime o fato de eu ter saltado para perto dele, no depósito. Tinha incessantemente a impressão de que, por causa disso, ele deixaria de me respeitar e que estava zangado comigo.

Depois do chá, dirigi-me para o piano, ele me seguiu.

— Toque alguma coisa, faz tempo que não a ouço — disse ele, alcançando-me na sala de visitas.

— Era o que eu queria fazer... Sierguiéi Mikháilitch! — disse eu, fitando-o de repente bem nos olhos. — Não está zangado comigo?

— Por quê? — perguntou ele.

— Porque não lhe obedeci, à tardinha — disse eu, corando.

Ele me compreendeu, meneou a cabeça e sorriu. O seu olhar dizia que era preciso censurar-me, mas que ele não sentia força para tanto.

— Não aconteceu nada, somos de novo amigos — disse eu, sentando-me ao piano.

— Como não?! — disse ele.

Felicidade conjugal

No salão grande, de teto alto, havia apenas duas velas sobre o piano, o espaço restante estava na penumbra. A noite clara de verão espiava pelas janelas abertas. Tudo estava quieto, apenas os passos de Kátia rangiam a intervalos na sala de visitas às escuras, e o cavalo dele, preso sob a janela, fungava e batia nas bardanas com o casco. Ele estava sentado atrás de mim, de modo que eu não o via; mas sentia-lhe a presença em toda parte, na penumbra da sala, nos sons, em mim mesma. Cada olhar seu, cada movimento, que eu não via, repercutia-me no coração. Eu estava tocando a sonata-fantasia de Mozart, que ele me trouxera e que eu aprendera na sua presença e para ele. Eu não pensava absolutamente no que estava tocando, mas, provavelmente, toquei bem, e tive a impressão de que ele tinha gostado. Eu percebia o prazer que ele estava experimentando e, sem voltar a cabeça, sentia o seu olhar fixado em minhas costas. Completamente sem querer e continuando inconscientemente a mover os dedos, eu me virei na sua direção. A sua cabeça destacava-se sobre o fundo da noite, que se tornava mais claro. Ele estava sentado com a cabeça apoiada nas mãos e fitava-me fixamente, os olhos brilhantes. Sorri vendo esse olhar, e parei de tocar. Ele sorriu também e meneou com censura a cabeça, na direção dos cadernos de música, indicando-me que continuasse. Quando acabei de tocar, a lua estava mais clara, erguera-se alto, e já estava penetrando no salão, a par da luz débil das velas, uma outra, argêntea, que incidia no soalho. Kátia disse que era inconcebível eu ter me detido na parte melhor, e que tocara mal; mas, pelo contrário, ele afirmou que eu nunca tocara tão bem, e pôs-se a andar pela casa, passou do salão para a sala de visitas às escuras, e desta de novo para o salão, voltando com frequência a cabeça para mim e sorrindo. Eu sorria também, tinha até vontade de rir sem nenhuma razão, tão contente estava com algo que sucedera instantes atrás. Apenas ele desaparecia atrás da porta, eu abraçava Kátia, que estava parada ao meu lado, junto ao piano, e punha-me a beijá-la no meu lugarzinho predileto, no pescoço cheio, sob o queixo; mal ele regressava, eu fingia um rosto sério e continha à força o riso.

— O que aconteceu hoje com ela? — perguntou-lhe Kátia.

Mas ele não respondeu e apenas riu um pouco na minha direção. Sabia o que me acontecera.

— Vejam que noite! — disse ele da sala de visitas, parando diante da porta do balcão, aberta para o jardim...

Acercamo-nos dele e realmente era uma noite como eu nunca mais vi. A lua cheia estava sobre a casa, atrás de nós, de modo que não se podia vê-la, e metade das sombras do telhado, dos postes e da lona do terraço deitava-se de viés, *en raccourci*,[7] sobre o caminho de areia e o círculo do relvado. Tudo o mais estava claro, inundado pela prata do orvalho e do luar. O largo caminho entre as flores, sobre o qual se deitavam de viés, de um lado, as sombras das dálias e das estacas, penetrava na neblina, todo claro e frio, alongava-se, brilhando com o pedregulho irregular. Via-se por trás das árvores o telhado claro da estufa, e uma névoa crescente erguia-se da ravina. Os tufos de lilases, já um tanto desnudados, estavam iluminados até os últimos galhos. Podia-se distinguir cada flor, todas umedecidas de orvalho. Nas alamedas, a sombra e a luz fundiam-se de tal maneira que elas não pareciam mais árvores e caminhos, e sim casas transparentes e trêmulas. À direita, na sombra da casa, tudo era negro, indiferente e assustador. Mas, em compensação, destacava-se ainda mais claro nessa treva o topo estranhamente espalhado do choupo, que por algum motivo detivera-se de maneira esquisita ali, perto da casa, banhado de luz viva em cima, em vez de partir voando para alhures, ao longe, para o céu azulado que se afastava.

— Vamos caminhar um pouco — disse eu.

[7] Em francês no original: "em escorço". (N. do T.)

Felicidade conjugal

Kátia concordou, mas recomendou que eu calçasse galochas.

— Não é preciso, Kátia — repliquei. — Sierguiéi Mikháilitch vai dar-me o braço.

Como se isto pudesse impedir-me de molhar os pés. Mas, então, nós três o compreendíamos, e não nos pareceu de modo algum estranho. Ele nunca me dera o braço, mas dessa vez eu mesma o tomei, e ele não o estranhou. Descemos do terraço os três. Todo esse mundo, o céu, o jardim, o ar, eram diferentes dos que eu conhecera até então.

Quando eu olhava para frente, sobre a alameda pela qual caminhávamos, tinha continuadamente a impressão de que não se podia ir mais longe, que ali terminara o mundo do possível, que tudo isso devia ficar para sempre acorrentado em sua beleza. Mas nós avançávamos, e a muralha encantada da beleza abria-se, deixava-nos entrar, e também ali, parecia, estava o jardim nosso conhecido, com as árvores, os caminhos, as folhas secas. E nós como que andávamos pelos caminhos, pisando nos círculos de luz e sombra, e como que a folhagem seca farfalhava-nos sob os pés e um galho novo roçava-me o rosto. E era como se fosse ele quem, pisando regular e docemente ao meu lado, amparasse cautelosamente o meu braço, e como se fosse Kátia quem, caminhando conosco, fizesse algum ruído. E, provavelmente, era a lua no céu que enviava essa luz por entre os galhos imóveis...

Mas, a cada passo, novamente se fechava atrás e em frente de nós a muralha encantada, e eu cessava de acreditar em que se podia ir mais longe ainda, deixava de acreditar em tudo o que existia.

— Ah! Uma rã! — exclamou Kátia.

"Quem diz isto e para quê?" — pensei. Mas, em seguida, lembrei-me de que era Kátia, de que ela temia as rãs, e olhei para baixo. Uma rãzinha saltara e imobilizara-se diante de mim, e a sua sombra pequena via-se sobre o barro claro do caminho.

— E você não tem medo? — disse ele.

Olhei-o. No lugar em que estávamos, faltava uma tília da alameda, eu via nitidamente o rosto dele. E esse rosto estava tão belo, tão feliz...

Dissera: "Não tem medo?" — e eu ouvira: "Amo você, querida jovem!" — Amo! amo! — repetiam o seu olhar, o seu braço; e a luz, a sombra, o ar, repetiam o mesmo.

Percorremos todo o jardim. Kátia caminhava ao nosso lado, com os seus passinhos miúdos, e arfava cansada. Disse que estava na hora de voltar, e eu tive pena, muita pena dela, coitada. "Por que ela não sente o mesmo que nós? — pensei. — Por que nem todos são jovens, nem todos estão felizes, como esta noite e como ele e eu?"

Voltamos para casa, mas ele ainda ficou ali muito tempo, não obstante já tivessem cantado os galos, já estivessem dormindo todos em casa, e o seu cavalo batesse cada vez mais frequentemente nas bardanas e fungasse sob a janela. Kátia não nos lembrava que já era tarde, e nós, conversando sobre as coisas mais tolas, ficamos sentados, sem sabê-lo, até depois das duas da madrugada. Os galos já cantavam a terceira vez, quando ele partiu, e começava a alvorecer. Despediu-se como de costume, sem dizer nada de especial; mas eu sabia que a partir daquele dia ele era meu, e que não o perderia. Logo depois de confessar a mim mesma que o amava, contei tudo a Kátia. Ela ficou contente e comovida com o que lhe contei, mas a coitada pôde adormecer nessa noite, e eu passei ainda muito tempo caminhando pelo terraço, fui ao jardim e, lembrando cada palavra, cada movimento, percorri as mesmas alamedas pelas quais andara com ele. Não dormi toda essa noite e, pela primeira vez na vida, vi o erguer do sol e as primeiras horas matinais. E nunca mais vi uma tal noite, nem uma tal manhã. "Mas por que ele não me diz simplesmente que me ama? — pensei. — Por que ele inventa não sei que dificuldades, chama a si mesmo de velho, quando tudo é tão simples e belo? Por que ele perde um tempo precioso, que talvez não volte nunca mais? Que ele me diga: amo, que o diga com palavras; que me tome a mão na sua, abaixe até ela a cabeça e diga: amo. Que enrubesça e baixe os olhos ante mim, e então eu vou lhe dizer tudo. Ou não lhe direi, e apenas vou abraçá-lo, apertar-me contra ele e chorar. Mas, o que será se eu me engano e ele não me ama?" — acudiu-me de súbito à mente.

Assustei-me com o meu sentimento: Deus sabe onde ele poderia levar-me; lembrei-me da minha perturbação e da sua, quando eu pulara para dentro do depósito, e senti o coração pesado, pesado. Lágrimas jorraram-me dos olhos, e pus-me a rezar. E vieram-me um pensamento e uma esperança estranhos, que me acalmaram. Decidi jejuar a partir de então, comungar no dia dos meus anos e, nesse mesmo dia, tornar-me sua noiva.

Para quê? Por quê? Como isto devia ocorrer? Eu não sabia nada, mas, desde aquele instante, acreditava e sabia que assim ia acontecer. Quando voltei ao meu quarto, o dia já clareava de todo e as pessoas de casa começavam a levantar-se.

IV

Estávamos no jejum da Assunção, e por isso ninguém se espantou com a minha intenção de jejuar.

A semana toda ele nenhuma vez viera a nossa casa, e eu não só não me surpreendia, não me alarmava e não me zangava com ele, mas, pelo contrário, estava contente porque ele não vinha, e esperava-o apenas para o dia dos meus anos. No decorrer da semana, levantava-me cedo e, enquanto me arreavam o cavalo, examinava mentalmente os pecados da véspera e refletia sobre o que devia fazer aquele dia, a fim de ficar satisfeita com ele e não pecar nenhuma vez. Naquela época, parecia-me muito fácil viver absolutamente sem pecado. Tinha a impressão de que bastava esforçar-me um pouco. Chegavam os cavalos, eu sentava-me com Kátia ou com uma das criadas na *linieika*,[8] e íamos à igreja, a três verstas. Entrando no templo, eu me lembrava sempre de que as orações se fazem por todos "os que entram com temor a Deus" e procurava pisar justamente com este sentimento os dois degraus do adro, cobertos de erva. Na igreja, havia nessas ocasiões não mais de umas dez camponesas e empregadas domésticas em jejum; e eu empenhava-me em ser humilde, procurava responder às suas saudações, e ia pessoalmente, o que me parecia uma façanha, apanhar com o velho soldado, *starosta* da igreja,[9] velas num caixote, a fim de colocá-las nos castiçais.

---

[8] Tipo de carruagem aberta. (N. do T.)

[9] O encarregado de zelar por uma igreja (cargo eletivo). (N. do T.)

Através da Porta Real,[10] via-se a coberta do altar, bordada por minha mãe, sobre a iconóstase havia dois anjos de madeira com estrelas, que me pareciam tão grandes quando eu era menina, e uma pombinha com uma auréola amarela, que me deixara na mesma época muito interessada. Atrás do coro aparecia a amassada pia batismal, em que eu mesma fora batizada e tantas vezes batizara filhos da nossa criadagem. O velho sacerdote aparecia envergando a casula feita com a cobertura do caixão do meu pai, e tinha, ao oficiar, a mesma voz com que sempre, desde os primeiros tempos de que me lembro, se celebrara o ofício em nossa casa: no batizado de Sônia, nas exéquias de meu pai, no enterro de minha mãe. A mesma voz trêmula do sacristão ressoava no coro, e a mesma velhota, que eu lembrava ter visto sempre na igreja, em cada ofício, ficava parada junto à parede, curvada, dirigindo os olhos lacrimosos para o ícone do coro, apertava os dedos dobrados contra o xale desbotado, e murmurava algo com a boca sem dentes. E tudo isso não me despertava mais a curiosidade, era chegado a mim não só pelas recordações: tudo isso era agora santo e grande aos meus olhos e parecia-me repleto de um profundo significado. Eu prestava atenção a cada palavra da oração, procurava responder a esta com o sentimento, e, se não compreendia, pedia mentalmente a Deus que me iluminasse ou inventava uma oração minha para substituir a que eu ouvira mal. Quando se proferiam orações de arrependimento, eu recordava o meu passado, e aquele passado infantil e inocente parecia-me tão negro em comparação com a condição luminosa do meu espírito naquele momento que eu chorava e horrorizava-me comigo mesma, mas ao mesmo tempo sentia que tudo seria perdoado e, mesmo que tivesse mais pecados, o arrependimento me seria ainda mais doce. Quando, terminando o ofício, o sacerdote dizia:

---

[10] Nas igrejas russas, a entrada para o altar, uma abertura na iconóstase. (N. do T.)

"A bênção do Senhor está convosco" — eu tinha a impressão de experimentar no mesmo instante um sentimento físico de bem-estar. Não sei que luz e calor como que penetravam-me de repente o coração. O ofício terminava e o padre vinha falar comigo, perguntava se precisava ir oficiar as vésperas em nossa casa, e a que horas devia fazê-lo; mas eu agradecia-lhe comovida aquilo que ele pretendia, pensava eu, fazer por mim, e dizia-lhe que iria à igreja.

— A senhora mesma quer dar-se ao trabalho? — dizia ele.

E eu não sabia o que responder, para não cometer o pecado do orgulho.

Depois da missa, se estava sem Kátia, eu sempre dispensava os cavalos, voltava sozinha a pé, inclinando-me profundamente, com humildade, ante todos os que encontrava e procurando uma oportunidade de auxiliar, aconselhar, sacrificar-me por alguém, ajudar a erguer uma carga, balançar uma criança, ceder passagem e sujar-me. De uma feita, à noitinha, ouvi como o administrador, ao fazer o seu relatório a Kátia, dizia que o mujique Siemion viera pedir umas tábuas para o caixão da filha e um rublo para as exéquias, e que ele acedera ao pedido. "Mas eles são assim pobres?" — perguntei. "Muito pobres, senhora, não têm nem com que comprar sal" — respondeu o administrador. Algo apertou-me o coração, e ao mesmo tempo eu como que me alegrei, ao ouvir isto. Enganei Kátia, dizendo-lhe que ia dar uma volta, corri para cima, apanhei todo o meu dinheiro (muito pouco, mas tudo o que possuía), e, depois de me persignar, atravessei sozinha o terraço e o jardim, dirigindo-me para a isbá de Siemion, na aldeia. Ela ficava no limite da aldeia, E, sem ser vista por ninguém, acerquei-me de uma janela, coloquei o dinheiro no peitoril e bati. Alguém saiu da isbá, fez ranger a porta e gritou para mim; trêmula e fria de medo, como uma criminosa, corri para casa. Kátia me perguntou onde eu estivera e o que tinha, mas não compreendi sequer o que ela me dizia e não lhe respondi. Tudo me pareceu de repente tão insignificante e mesquinho. Tranquei-me no quarto e por muito tempo caminhei de um lado para outro, incapaz de fazer algo, de pensar, incapaz de dar conta do meu sentimento a mim mesma. Pensei também na alegria de toda a família, nas palavras com que eles se refeririam à pessoa que depositara o dinheiro, e fiquei com pena de não o ter entregue pessoalmente. Pensei também no que diria Sierguiéi Mikháilitch, ao saber desta ação, e alegrei-me com o fato de que ninguém jamais o saberia. E havia em mim tamanha alegria, tão maus pareciam-me todos e eu mesma, olhava com tamanha cordura para mim e para todos, que a ideia da morte acudia-me como um sonho de felicidade. Eu sorria, rezava, chorava, e amava tão ardente, tão apaixonadamente, nesses momentos, a todos no mundo e a mim mesma. Lia o Evangelho no intervalo dos ofícios, e esse livro tornava-se cada vez mais compreensível para mim, mais comoventes e mais singelas as histórias dessa existência divina, e mais terríveis e impenetráveis as profundezas de sentimento e de pensamento que eu encontrava na sua doutrina. Mas, em compensação, quão simples e claro parecia-me tudo, quando, erguendo-me de junto do livro, tornava a fitar a vida que me rodeava, a pensar nela. Parecia tão difícil viver em maldade e tão simples amar a todos e ser amada. Todos me tratavam com tanta doçura e bondade, até Sônia, a quem eu continuava a dar aulas, era completamente outra, procurava compreender-me, agradar-me e não me causar aborrecimento. Tal como eu era, assim eram todos comigo. Passando mentalmente em revista os meus inimigos, a quem eu devia pedir perdão, antes da confissão, lembrei fora de nossa casa apenas uma moça, vizinha, de quem eu rira um ano atrás na presença de visitas, e que, por isso, deixara de nos visitar. Escrevi-lhe uma carta, reconhecendo a minha culpa e pedindo-lhe perdão. Respondeu-me com outra em que ela mesma pedia-me perdão e perdoava-me. Chorei de alegria, lendo aquelas linhas singelas, em que percebi então um sentimento tão profundo e tocante. A nossa ama chorou, quando lhe pedi perdão. "Por que todos eles são tão bons comigo? Com que foi que eu mereci tamanho amor?" — perguntava a mim mesma. Involuntariamente, lembrava-me de Sierguiéi Mikháilitch e passava muito tempo pensando nele. Não podia proceder de outro modo e até não considerava isso um pecado. Mas eu pensava nele agora de modo completamente diverso daquela noite em que soubera pela primeira vez que o amava, eu pensava nele como em mim mesma, ligando-o sem querer a cada pensamento sobre o meu futuro. A influência opressiva, que eu experimentava na sua presença, desaparecera completamente da minha imaginação. Agora, sentia-me igual a ele e, da altura da minha disposição espiritual, compreendia-o plenamente. Via nele agora, com nitidez, aquilo que antes me parecera estranho. Somente agora eu compreendia o porquê das suas palavras, no sentido de que a felicidade consiste unicamente em viver para outrem, e agora concordava plenamente com ele. Tinha a impressão de que, em dois, seríamos tão infinita e tranquilamente felizes. E eu imaginava não viagens ao estrangeiro, não o brilho, a sociedade, mas uma vida completamente diversa, quieta, familiar, no campo, com um eterno autossacrifício, com um eterno amor mútuo e com a eterna compreensão da Providência, sempre suave, sempre pronta a acudir em socorro.

Comunguei, conforme planejara, no dia dos meus anos. Tinha no peito uma felicidade tão completa, quando voltava nesse dia da igreja, que temi a vida, temi toda impressão, tudo o que pudesse estorvar essa felicidade. Mas apenas descemos da *linieika*, à entrada da casa, ressoou sobre a ponte o cabriolé tão conhecido, e eu vi Sierguiéi Mikháilitch. Deu-me os parabéns, e entramos juntos para a sala de visitas. Jamais, desde que eu o conhecia, estivera tão tranquila e independente com ele, como nessa manhã. Sentia em mim todo um mundo novo, que ele não compreendia, um mundo mais elevado que ele. Não sentia na sua proximidade a menor perturbação. Ele compreendia provavelmente por que isto acontecia, e era comigo terno, cordato, religiosamente respeitoso. Acerquei-me do piano, mas ele trancou-o e escondeu a chave no bolso.

— Não estrague o humor — disse. — Você tem agora na alma a melhor música do mundo.

Fiquei grata por isso, e ao mesmo tempo me era um pouco desagradável que ele compreendesse demasiado fácil e claramente em meu íntimo tudo o que devia permanecer secreto a todos. Durante o jantar, disse que viera dar-me os parabéns e também despedir-se, porque ia no dia seguinte para Moscou. Dizendo isso, olhou para Kátia; mas depois lançou-me um olhar de relance, e eu notei como ele temia perceber uma perturbação em meu rosto. Mas não me espantei, não me alarmei, não lhe perguntei sequer se era por muito tempo. Eu sabia que ele o diria, e sabia também que não haveria de partir. Como o sabia? Não posso agora explicá-lo de modo algum a mim mesma; mas, nesse dia memorável, tinha a impressão de saber tudo o que acontecera e que ainda haveria de acontecer. Eu estava como que num sonho feliz, quando tudo o que sucede parece que já existiu antes, como se nós o conhecêssemos desde muito tempo e soubéssemos também o que o futuro nos reservava.

Ele queria partir logo depois do jantar, mas Kátia, que se cansara na missa, fora deitar-se um pouco, e ele teve que esperar que ela acordasse, a fim de se despedir. Havia muito sol no chão e, por isso, saímos para o terraço. Apenas nos sentamos, comecei a dizer com a máxima tranquilidade aquilo que devia decidir a sorte do meu amor. E não comecei a dizê-lo mais cedo, nem mais tarde, mas no momento exato em que nos sentamos, e quando ainda não se dissera nada, e ainda não havia nenhum tom, nenhuma característica na conversa, que pudesse estorvar aquilo que eu queria dizer. Eu mesma não compreendo de onde me surgiam tamanha tranquilidade, espírito decidido e precisão nas expressões. Como se não eu, mas algo independente da minha vontade, falasse em mim. Ele estava sentado na minha frente, os cotovelos sobre a balaustrada, e, tendo puxado para si um ramo de lilás, arrancava as folhas deste. Quando comecei a falar, ele soltou o ramo e apoiou a cabeça no braço. Isso podia ser a posição de um homem absolutamente tranquilo ou muito perturbado.

— Para quê viaja? — perguntei significativa e pausadamente, olhando-o bem de frente.

Tardou em responder.

— Negócios! — proferiu depois, baixando os olhos.

Compreendi como lhe era difícil mentir para mim, em resposta a uma pergunta feita com tanta sinceridade.

— Ouça — disse eu —, você sabe o que o dia de hoje significa para mim. Ele é muito importante por inúmeras razões. Se lhe faço esta pergunta, não é para demonstrar simpatia (sabe muito bem que me acostumei a você, que eu gosto de você), mas simplesmente porque preciso saber. Para quê viaja?

— É muito difícil para mim dizer a você o verdadeiro motivo da minha viagem — disse ele. — Esta semana, eu pensei muito em você e em mim, e decidi que preciso partir daqui. Você compreende por que o faço, e se gosta de mim, não me fará mais perguntas. — Esfregou a testa com a mão e fechou com esta os olhos. — Isso me é penoso... E você o compreende.

O coração bateu-me com força.

— Não posso compreender — disse eu —, *não posso*, e diga-me *você*, pelo amor de Deus, por amor ao dia de hoje, diga-me isso, eu posso ouvir tudo tranquila.

Ele mudou de posição, olhou-me e tornou a puxar para si o ramo.

— Aliás — disse, depois de uma pausa e com uma voz que procurava em vão aparentar firmeza —, embora seja tolo e impossível de contar com palavras, embora isso me seja penoso, vou procurar explicá-lo a você — acrescentou com uma careta, como que provocada por uma dor física.

— Ora! — disse eu.

— Imagine que existiram um dia certo senhor A, vamos fazer de conta — disse ele —, um homem velho e vivido, e certa senhora B, jovem, feliz, que ainda não tinha visto as pessoas nem a vida. Em consequência de determinadas relações familiares, ele amou-a como uma filha, e não temeu que seu amor se transformasse.

Calou-se, porém não o interrompi.

— Mas ele esqueceu que B era tão jovem, ainda, que a vida constituía para ela um brinquedo — prosseguiu de repente, depressa, decidido, sem me olhar —, que era fácil passar a amá-la de outra maneira, e que isto a divertiria. Ele enganou-se e de repente sentiu que um outro sentimento, pesado como o arrependimento, esgueirava-se para o seu íntimo, e assustou-se. Teve medo de que se rompessem as suas relações amistosas, e decidiu-se a uma viagem, antes que isso acontecesse. — Dizendo-o, tornou, como que por acaso, a esfregar os olhos e cerrou-os.

— Mas por que ele teve medo de amá-la de outra maneira? — disse eu quase imperceptivelmente, contendo a perturbação, e a voz saiu-me regular; todavia, provavelmente, pareceu-lhe zombeteira. Respondeu num tom que parecia ofendido.

— Você é jovem, eu não o sou mais. Você quer brincar, e eu preciso de outra coisa. Brinque, mas que não seja comigo, senão vou acreditar, e isso será mau para mim, e você acabará envergonhando-se de tê-lo feito. Foi A quem disse isso — acrescentou — bem, tudo isso é tolice, mas você compreende por que vou viajar. E não falemos mais sobre isso. Por favor!

— Não! Não! Falemos! — disse eu, e lágrimas tremeram-me na voz. Ele amava-a ou não?

Não respondeu.

— E se não a amava, por que brincou como se ela fosse uma criança? — disse eu.

— Sim, sim, A foi culpado — respondeu ele, interrompendo-me às pressas —, mas tudo acabou, e eles separaram-se... como amigos.

— Mas isto é horrível! Será possível que não exista outro desfecho? — mal consegui proferir, e assustei-me com o que dissera.

— Sim, existe — disse ele, o rosto perturbado e fitando-me bem de frente. — Existem dois desfechos diferentes. Mas, pelo amor de Deus, não me interrompa e compreenda-me tranquilamente. Alguns dizem — começou ele, levantando-se e tendo um sorriso doentio, penoso —, alguns dizem que A perdeu o juízo, apaixonou-se loucamente por B e disse-lhe isso... E ela apenas riu. Para ela, isto não passava de brincadeira, e para ele era um assunto vital.

Estremeci e quis interrompê-lo, dizer-lhe que não se atrevesse a falar por mim, mas, contendo-me, ele colocou a mão sobre a minha.

— Espere — disse, a voz trêmula —, outros dizem que ela compadeceu-se dele, imaginou, a coitada que não vira o mundo, que ela também podia amá-lo, e concordou em ser sua esposa. E ele, o louco, acreditou, acreditou que toda a sua vida começaria de novo, mas ela mesma viu que o enganara... e que ele a enganara também... Não falemos mais disso — concluiu ele, provavelmente incapaz de dizer mais, e pôs-se a andar em silêncio na minha frente.

Ele dissera "Não falemos disso", mas eu via que esperava a minha palavra com todas as forças da sua alma. Quis falar, mas não pude, algo apertou-me o peito. Lancei-lhe um olhar, ele estava pálido e tinha o lábio inferior trêmulo. Tive pena dele. Fiz um esforço e de repente, rompendo a força do silêncio que me acorrentara, falei com uma voz baixa, interior, e que, temia eu, ia romper-se a cada momento.

— E o terceiro desfecho — disse eu e detive-me, mas ele permaneceu calado —, e o terceiro desfecho consiste em que ele não a amava, mas fê-la sofrer, sofrer, e pensou estar com

Felicidade conjugal

a razão, viajou para longe e ainda tinha orgulho de algo. Você e não eu está brincando, eu amei-o, amei-o desde o primeiro dia — repeti, e nessa palavra "amei" a minha voz passou involuntariamente de suave, interior, a um grito selvagem, com que eu mesma me assustei.

Ele estava pálido na minha frente, o lábio tremia-lhe cada vez com mais força, e duas lágrimas desceram-lhe pelas faces.

— Isso é ruim! — quase gritei, sentindo que sufocava de lágrimas maldosas, não choradas. — Por quê? — exclamei, e ergui-me a fim de afastar-me dele.

Mas ele não me deixou. Tinha a cabeça no meu colo, os seus lábios beijavam ainda as minhas mãos trêmulas, e as suas lágrimas molhavam-nas.

— Meu Deus, se eu soubesse! — disse ele.

— Por quê? Por quê? — continuava eu a repetir sempre, e na alma eu tinha felicidade, uma felicidade que não voltaria jamais.

Cinco minutos depois, Sônia corria escada acima, para junto de Kátia, e gritava por toda a casa que Macha queria casar com Sierguiéi Mikháilovitch.[11]

---

[11] Sendo irmã menor, ela não usou a corruptela Mikháilitch, que é mais familiar. (N. do T.)

V

Não havia razão para adiar o nosso casamento, e nem eu nem ele o queríamos. Kátia, é verdade, quisera ir a Moscou, a fim de comprar e encomendar peças para o enxoval, e a mãe dele exigira que, antes de casar, ele adquirisse uma nova carruagem e mobília e que forrasse a casa com papel de parede novo, mas ambos insistimos em que se deixasse isso para mais tarde, já que era tão indispensável, e se celebrasse o casamento duas semanas depois do meu aniversário, sem barulho, sem enxoval, sem convidados, sem padrinhos, ceias, champanha e todos estes acessórios convencionais do ato matrimonial. Ele me contou como a sua mãe ficara descontente pelo fato de que o casamento devia realizar-se sem música, sem montanhas de baús e sem uma reforma de toda a casa, enfim, de maneira bem diversa do casamento dela, que custara trinta mil rublos; e como ela, ao remexer em baús na despensa, conferenciara seriamente, às escondidas dele, com a governanta Máriuschka,[12] sobre certos tapetes, cortinas e bandejas indispensáveis à nossa felicidade. Do meu lado, Kátia fazia o mesmo com a ama-seca Kuzmínischna. E não se podia falar disso com ela num tom de brincadeira. Estava firmemente convicta de que nós dois, ao falarmos do nosso futuro, apenas fazíamos dengos e insignificâncias, como é peculiar às pessoas nesta condição; mas que a nossa felicidade efetiva dependeria exclusivamente do corte e da costura corretos das camisas e do ponto com que se bordariam as orlas

---

[12] Diminutivo de Mária. (N. do T.)

de toalhas de mesa e guardanapos. Entre o dia do Sudário e a festa de São Nicolau, comunicaram-se algumas vezes ao dia notícias confidenciais sobre o que estava sendo preparado e onde, e embora, aparentemente, as relações entre Kátia e a mãe dele fossem das mais carinhosas, já se percebia entre elas certa diplomacia um tanto hostil, ainda que sutilíssima. Tatiana Siemiônovna, a mãe dele, com a qual eu travara agora relações mais íntimas, era uma dona de casa altiva e severa, uma grã senhora dos velhos tempos. Ele amava-a não só como um filho, por obrigação, mas também como uma pessoa humana, por sentimento, considerando-a a melhor, a mais inteligente, a mais bondosa, a mais afetuosa mulher no mundo. Tatiana Siemiônovna era sempre boa conosco, particularmente comigo, e estava contente porque o filho ia casar-se, mas, quando a visitei como noiva, pareceu-me que ela queria fazer-me sentir que eu não era dos melhores partidos para o seu filho, e que não me faria mal lembrar sempre esta circunstância. Eu a compreendia totalmente e concordava com ela.

Víamo-nos diariamente nessas duas semanas derradeiras. Ele vinha jantar e ficava até meia-noite. Mas, apesar daquilo que dizia, e eu sabia que estava dizendo a verdade ao afirmar que não podia viver sem mim, ele nunca passava o dia inteiro comigo e procurava continuar ocupado com os negócios. Até o casamento, as nossas relações exteriores continuaram as mesmas de antes, não nos tratávamos por *tu*,[13] ele não me beijava sequer a mão, e não só não procurava, mas até evitava ficar comigo a sós. Era como se temesse entregar-se ao nocivo excesso de ternura que havia nele. Não sei se foi ele ou eu que mudamos, mas agora eu me sentia completamente igual a ele, não encontrava nele o arremedo de simplicidade, que me desagradara antes, e frequentemen-

---

[13] No texto original, eles se tratam por *vós*, que é o tratamento russo menos íntimo. (N. do T.)

te via deliciada na minha frente, em lugar de um homem que inspirava respeito e medo, uma criança dócil, perdida de felicidade. "Mas somente isso é que existia nele! — pensava eu com frequência. — Ele é uma pessoa exatamente igual a mim, não mais que isso." Parecia-me agora que ele estava todo diante de mim e que eu passara a conhecê-lo completamente. E tudo o que eu começava a conhecer era tão simples e tão concorde comigo mesma. Até os seus planos sobre como iríamos viver juntos eram os meus próprios planos, apenas definidos mais claramente e melhor com as suas palavras.

Naqueles dias, o tempo estava feio, e ficávamos quase sempre dentro de casa. As melhores conversas íntimas tinham lugar num canto, entre o piano e a janela pequena. A luz das velas refletia-se perto, na janela negra, e gotas escorriam de raro em raro sobre o vidro lustroso. Havia batidas no telhado, a água soltava borrifos na poça sob a calha, a umidade esgueirava-se pela janela. E o nosso canto parecia mais claro, mais tépido e alegre.

— E sabe? Há muito, eu queria dizer-lhe uma coisa — disse ele de uma feita em que ficamos até tarde, sentados a sós nesse canto. — Enquanto você tocava, não parei de pensar nisso.

— Não diga nada, sei tudo — disse eu.

Ele sorriu.

— Sim, está certo, não falemos nisso.

— Não, diga-me: o que é? — perguntei.

— Trata-se do seguinte: lembra-se de quando lhe contei aquela história sobre A e B?

— Como não lembrar essa história tola? Ainda bem que tudo acabou assim...

— Sim, mais um pouco e toda a minha felicidade pereceria por minhas próprias mãos. Você me salvou. Mas o mais importante é que eu não parei de mentir então, e agora estou envergonhado, quero acabar de dizer o que pretendia.

— Ah, por favor, não precisa.

— Não tenha medo — disse ele, sorrindo. — Preciso apenas defender-me. Quando comecei a falar, eu quis argumentar.

— Para que argumentar?! — disse eu. — Não se deve nunca.

— Sim, eu argumentava mal. Depois de todos os meus erros e decepções, quando voltei para a roça, disse a mim mesmo decididamente que o amor acabara para mim, que ficaram para mim unicamente as obrigações do final de uma existência, de modo que por muito tempo não dava conta a mim mesmo do que significava o meu sentimento por você e onde ele podia levar-me. Eu tinha e não tinha esperança, ora me parecia que você estava procedendo com coquetismo, ora me surgia a esperança, mas eu mesmo não sabia o que ia fazer. Mas, depois daquela noite — lembra-se? Foi quando passeamos até tarde pelo jardim — eu me assustei, a minha felicidade atual pareceu-me demasiado grande e impossível. Ora, o que sucederia se eu me permitisse ter esperança, e em vão? Mas, naturalmente, eu pensava apenas em mim mesmo; porque sou um reles egoísta.

Permaneceu algum tempo em silêncio, os olhos fixos em mim.

— Mas não era apenas tolice o que eu dizia então. Bem que eu podia e devia ter medo. Eu tomo tanto de você e posso dar tão pouco. Você ainda é criança, é um botão que ainda há de desabrochar, é a primeira vez que ama, e eu...

— Sim, diga-me com franqueza — retruquei, mas de repente tive medo da sua resposta. — Não, não precisa — acrescentei.

— Se eu já amei antes? Sim? — disse ele, adivinhando no mesmo instante o meu pensamento. — Posso responder. Não, não amei. Nunca tive nada que se assemelhasse a este sentimento... — Mas, de repente, uma lembrança penosa pareceu passar-lhe de relance na imaginação. — Não, e agora preciso do seu coração para ter o direito de amá-la — disse ele entristecido. — Então, não é verdade que devia mesmo pensar um pouco, antes de dizer que a amava? O que lhe dou? O amor, é verdade.

— Mas, será pouco? — disse eu, fitando-o nos olhos.

— É pouco, minha amiga, para você é pouco — prosseguiu. — Tem beleza e mocidade! Agora, fico muitas vezes sem dormir de noite, sempre pensando em nossa existência em comum. Vivi muito e tenho a impressão de que achei o necessário para a felicidade. Uma vida quieta, solitária, em nosso rincão distante, com a possibilidade de fazer o bem às pessoas, o bem tão fácil de fazer por elas, que não estão acostumadas com isso; depois, o trabalho, um trabalho que aparentemente traz proveito; e ainda o repouso, a natureza, os livros, a música, o amor a alguém próximo — eis a minha felicidade, acima da qual nada sonhei. E no caso, acima de tudo isso, uma companheira como você, talvez a família — é tudo o que pode desejar uma pessoa.

— Sim — disse eu.

— Para mim, que já passei pela mocidade, sim, mas não para você — prosseguiu ele. — Você ainda não viveu, você talvez queira ainda procurar a felicidade em outras coisas, e talvez a encontre nelas. Agora tem a impressão de que isso é felicidade, porque me ama.

— Não, eu sempre só desejei e amei esta quieta vida familiar — disse eu. — E você apenas diz o mesmo que eu pensei.

Ele sorriu.

— É apenas uma impressão, minha amiga. E é pouco para você. Tem beleza e mocidade — repetiu pensativo.

Mas eu me zanguei porque ele não me acreditava e parecia censurar-me a beleza e mocidade.

— Neste caso, por que me ama? — disse eu zangada. — Pela minha mocidade, ou por mim mesma?

— Não sei, mas amo — respondeu, dirigindo-me o seu olhar atento, de ímã.

Não respondi nada e fiquei fitando-o involuntariamente nos olhos. De repente, aconteceu-me algo estranho; em primeiro lugar, deixei de ver o que me cercava, depois o seu rosto desapareceu diante de mim, apenas os seus olhos, parecia, brilhavam bem em frente dos meus, em seguida tive a impressão de que esses olhos estavam dentro de mim, tudo se turvou, não vi mais nada, precisei entrecerrar os olhos, para me desprender do sentimento de prazer e medo, que este olhar suscitava em mim...

Na véspera do dia marcado para o casamento, o tempo mudou bruscamente antes de anoitecer. E depois das chuvas que começaram no verão, apareceu a primeira noite fria e brilhante de outono. Tudo estava molhado, frio, claro, e no jardim percebiam-se pela primeira vez a amplidão outonal, uma vivacidade de colorido e nudez. O céu claro, frio e pálido. Fui dormir, feliz com o pensamento de que no dia seguinte, dia do nosso casamento, faria tempo bonito.

Acordei com o primeiro sol, e o pensamento de que hoje... como que me assustou e me surpreendeu. Saí para o jardim. O sol apenas se erguera e brilhava fragmentário, em meio às tílias despidas e amareladas da alameda. O caminho estava forrado de folhagem farfalhante. Os cachos franzidos, de cor viva, da sorveira avermelhavam-se sobre galhos com folhas mortas pela geada, raras, retorcidas; as dálias se enrugaram e enegreceram. A geada estendia-se pela primeira vez, argêntea, sobre o verde pálido da erva e sobre as bardanas quebradas, junto à casa. No céu claro e frio, não havia e não podia haver nenhuma nuvem.

"Será possível que seja hoje? — perguntava a mim mesma, não crendo na minha felicidade. — Será possível que já amanhã eu acordarei não aqui, mas numa casa alheia, em Nikólskoie, uma casa com colunas? Será possível que não vou esperá-lo e não irei mais ao seu encontro, e não passarei mais tardes e noites falando dele com Kátia? Não ficarei mais sentada com ele ao piano, no salão da casa de Pokróvskoie? Não o acompanharei e não temerei por ele nas noites escuras?" Lembrei-me, porém, de que na véspera ele dissera que vinha ali pela última vez, e Kátia obrigara-me a experimentar o vestido de casamento, dizendo: "É para amanhã"; e eu acreditava por um instante e tornava a duvidar. "Será possível que à partir de hoje viverei lá com a sogra, sem Nadiéjda, sem o velho Grigóri, sem Kátia? Não beijarei mais, antes de dormir, a minha ama-seca e não a ouvirei dizer, segundo um velho costume, depois de fazer sobre mim o sinal da cruz: 'Boa noite, senhorita'? Não darei mais aulas a Sônia e não vou brincar com ela, nem baterei na parede de manhã, na direção do seu quarto, nem ouvirei a sua sonora gargalhada? Será possível que a partir de hoje me tornarei estranha a mim mesma, e que se abra diante de mim uma nova vida de realização das minhas esperanças e desejos? Será possível que esta vida nova é para sempre?" Esperei-o impaciente, era-me penoso ficar sozinha com esses pensamentos. Ele chegou cedo, e somente na sua companhia acreditei plenamente em que seria sua esposa naquele dia, e este pensamento deixou de me assustar.

Antes do jantar, fomos à nossa igreja, a fim de celebrar missa em memória de meu pai.

"Se ele estivesse vivo agora!" — pensei, ao voltarmos para casa, e me apoiei em silêncio no braço do homem que fora o melhor amigo daquele em que eu pensava. No decorrer da oração, encostando a cabeça à pedra fria do chão da capela, imaginei tão vivamente o meu pai, acreditei tanto em que a sua alma compreendia-me e abençoava a minha escolha, que tive a impressão de mesmo nesses momentos estar ali aquela alma, voando sobre nós, e de sentir sobre mim a sua benção. As recordações, as esperanças, a felicidade, a tristeza, fundiam-se em mim num único sentimento triunfal e agradável, em cuja direção tendiam aquele ar fresco e imóvel, a quietude, a nudez dos campos e o céu pálido, do qual caíam sobre todas as coisas raios brilhantes, mas impotentes, que tentavam queimar-me a face. Tinha a impressão de que aquele ao lado de quem eu caminhava compreendia e partilhava o meu sentimento. Ele caminhava suavemente, calado, e o seu rosto, que eu espiava de raro em raro, expressava não sei se tristeza, não sei se alegria, mas algo importante que existia tanto na natureza como em meu coração.

De repente, voltou-se para mim, vi que pretendia dizer algo. "E se ele falar de assunto diverso daquele em que penso?" — acudiu-me à mente. Mas ele falou de meu pai, mesmo sem nomeá-lo.

— E um dia ele me disse brincando: "Case-se com a minha Macha!".

— Como ele seria feliz agora! — disse eu, apertando com mais força contra mim o braço que estava apoiando o meu.

— Sim, você ainda era criança — prosseguiu ele, espiando os meus olhos —, eu beijava então estes olhos e amava-os somente porque se pareciam com os dele, e nem pensava que me seriam tão caros por si mesmos. Eu a chamava então de Macha.

— Trate-me por "tu" — disse eu.

— Ainda agora, eu quis dizer-te "tu" — replicou. — Tenho somente agora a impressão de que és completamente minha — e o seu olhar tranquilo, feliz, de ímã, deteve-se em mim.

Estávamos caminhando por uma vereda não batida, através do campo, em meio aos restolhos amassados, pisados; e ouvíamos somente os nossos passos e vozes. De um lado, passada a ravina, estendia-se até o bosque distante e despido o campo coberto de palha pardacenta, e através do qual, um tanto afastado de nós, um mujique recortava com o arado uma faixa negra, cada vez mais larga. Um bando de cavalos, espalhado sob a montanha, parecia próximo. Do outro lado e na frente, indo até o jardim e a nossa casa, que aparecia atrás dele, o campo degelado de outono pretejava, e aqui e ali já apresentava faixas verdejantes. Brilhava por toda parte um sol não muito quente, teias de aranha longas, onduladas, estendiam-se sobre as coisas todas. Elas voavam à nossa volta e depositavam-se sobre a palha ressecada pelo frio, caíam-nos dentro dos olhos, sobre os cabelos e a roupa. Quando falávamos, as nossas vozes ressoavam e detinham-se sobre nós no ar imóvel, como se estivessem sozinhas em meio do mundo inteiro, sozinhas sob esta cúpula azul, sobre a qual tremia e resplandecia um sol sem calor.

Eu também queria tratá-lo por *tu*, mas tinha vergonha.

— Por que andas com essa velocidade? — disse eu depressa, quase num murmúrio, e corei contra a vontade.

Ele caminhou mais devagar e olhou-me de modo ainda mais carinhoso, mais alegre e feliz.

Quando voltamos para casa, já estavam ali sua mãe e visitas, sem as quais não podíamos passar, e até o momento de sairmos da igreja e sentarmo-nos na carruagem, a fim de ir a Nikólskoie, não ficamos a sós.

A igreja estava quase vazia, eu vi com um olho somente a mãe dele, ereta sobre um tapetinho junto ao coro, Kátia de touca de fitas lilases e lágrimas sobre as faces e dois ou três criados, que me olhavam curiosos. Eu não olhava para ele, mas sentia a sua presença ao meu lado. Prestava atenção às palavras da oração, repetia-as, mas nada me repercutia na alma. Não conseguia rezar e dirigia um olhar embotado para os ícones, as velas, a cruz bordada nas costas do sacerdote, a iconóstase, a janela da igreja, e não compreendia nada. Sentia somente que me acontecia algo inaudito. Quando o sacerdote com a cruz voltou-se para nós, deu os parabéns e disse que ele me batizara e, agora, Deus lhe concedera também me casar, Kátia e a mãe dele beijaram-nos, e ouviu-se a voz de Grigóri, que chamava a carruagem, eu me espantei e assustei-me porque tudo já estava terminado, e em meu espírito não se processara nada de extraordinário, correspondente ao mistério operado sobre mim. Beijamo-nos, e este beijo foi tão esquisito, tão estranho ao nosso sentimento. "E é só isto" — pensei. Saímos para o adro, as rodas ressoaram pesadamente sob a cúpula da igreja, o ar fresco soprou-nos no rosto, ele pôs o chapéu e segurou-me o braço, a fim de ajudar-me a subir para o carro. Da janela, vi a lua frígida, rodeada de um círculo. Sentou-se ao meu lado e fechou a portinhola. Algo espetou-me o coração. Pareceu-me como que ofensiva a autoconfiança com que ele o fizera. A voz de Kátia gritou-me que cobrisse a cabeça, as rodas bateram sobre o pedregulho, depois sobre a estrada macia, e avançamos. Encolhida num canto, eu olhava pela janela para os campos distantes e claros e para a estrada, que fugia em meio ao brilho frio do luar. E, sem olhar para ele, sentia-o ali, a meu lado. "E então foi só isso que me deu este instante, do qual eu tanto esperava" — pensei, e continuou a parecer-me como que ofensivo, humilhante, ficar sentada sozinha, tão perto dele. Voltei-me na sua direção, com a intenção de dizer-lhe algo. Mas as palavras não saíam, como se não existisse mais em mim o anterior sentimento de ternura, substituído que fora por sentimentos de ofensa e medo.

— Até este momento, eu não acreditei que isso pudesse acontecer — respondeu ele com doçura ao meu olhar.

— Sim, mas eu estou assustada não sei por quê — disse eu.

— Tem medo de mim, minha amiga? — disse ele, apanhando-me a mão e baixando sobre ela a cabeça.

Minha mão permaneceu deitada, sem vida, na mão dele, e o meu coração foi ficando dolorido de frio.

— Sim — murmurei.

Mas, no mesmo instante, o coração de repente bateu-me mais forte, a mão tremeu e apertou a sua, fiquei com calor, os olhos procuravam na penumbra o seu olhar, e eu senti de repente que não o temia, que esse medo era amor, um amor novo, ainda mais forte e carinhoso que o anterior. Senti que lhe pertencia toda e que era feliz com o poderio dele sobre mim.

SEGUNDA PARTE

I

Os dias, as semanas, dois meses de solitária vida na roça passaram imperceptíveis, como parecia então; e, no entanto, dariam para a vida inteira os sentimentos, a perturbação e a felicidade desses dois meses. Os nossos sonhos sobre como ia arranjar-se a nossa vida na roça realizaram-se de maneira completamente diversa do que esperávamos. Mas a nossa existência não era pior que os nossos sonhos. Não havia esse trabalho severo, o cumprimento de um dever de abnegação, de viver para outrem, que eu imaginara quando noiva; existia pelo contrário um sentimento de amor a si mesmo, em nosso amor, um pelo outro, um desejo de ser amado, uma alegria contínua e sem motivo e o esquecimento de tudo no mundo. É verdade, ele às vezes ia ocupar-se de algo em seu escritório, por vezes partia para tratar de negócios na cidade ou saía a cuidar da administração; mas eu via o quanto lhe era difícil arrancar-se de perto de mim. E ele mesmo confessava depois que tudo no mundo, onde eu não estava, parecia-lhe tamanha tolice que não conseguia compreender como alguém podia tratar daquilo. Minha vida decorria como antes. Eu lia, ocupava-me da música, da mãe dele, da escola; porém tudo isso unicamente porque estava relacionado a ele e merecia a sua aprovação; mas bastava o pensamento nele não se acrescentar a alguma tarefa, as minhas mãos descaíam e parecia-me tão divertido pensar que existia no mundo algo além dele. Talvez isto fosse um sentimento ruim, de amor a mim mesma; mas ele dava-me felicidade e elevava-me muito acima do mundo inteiro. Somente ele existia para mim, e eu considerava-o como a pessoa mais bela, mais sem pecados no mundo; e justamente por isso eu não conseguia viver para mais nada, com exceção dele, só vivia para ser aos seus olhos aquilo que ele esperava de mim. E ele, por sua vez, considerava-me a primeira, a mais bela dentre as mulheres, que possuía todas as virtudes possíveis; e eu procurava ser essa mulher aos olhos do primeiro e do melhor homem do mundo.

De uma feita, ele entrou no meu quarto quando eu estava rezando a Deus. Voltei-me para olhá-lo e continuei a rezar. Ele sentou-se à mesa, a fim de não me estorvar, e abriu um livro. Mas tive a impressão de que me olhava e tornei a virar-me. Ele sorriu, eu soltei uma risada e não consegui prosseguir na oração.

— Já rezaste? — perguntei.

— Sim. Continua, eu vou embora.

— Tu rezas? Espero que sim.

Procurou sair dali sem responder, mas detive-o.

— Meu querido, por favor, faça isso por mim, reze comigo.

Colocou-se ao meu lado e, baixando desajeitado os braços, o rosto sério, pôs-se a rezar, gaguejando. Voltava-se de raro em raro para mim, procurava em meu rosto ajuda e aprovação.

Quando terminou, ri e abracei-o.

— Sempre tu, sempre tu! Como se eu tivesse de novo dez anos — disse ele corando e beijando-me as mãos.

Nossa casa era uma dessas velhas casas de aldeia em que viveram algumas gerações da mesma família, amando-se e respeitando-se. Tudo cheirava a boas e honestas recordações familiares, as quais, apenas eu entrara ali, tornaram-se como que também minhas recordações. Tatiana Siemiônovna arrumava e administrava a casa à moda antiga. Não se pode dizer que tudo fosse bonito e elegante; mas, desde a criadagem até a mobília e a comida, era tudo farto, asseado, sólido, arrumado, e infundia respeito. Na sala de visitas, a mobília estava disposta simetricamente, pendiam retratos e, no chão, estendiam-se tapetes caseiros e passadeiras. Na sala de repouso, havia um velho piano de cauda, armários de dois modelos diversos, divãs e mesinhas com latão e incrustações. No meu escritório, arrumado graças aos cuidados de Tatiana Siemiônovna, estava a mobília melhor, de diferentes séculos e modelos, além de um velho tremó, para o qual eu a princípio não podia olhar sem ficar encabulada, mas que depois se tornou caro para mim, como um velho amigo. Não se ouvia Tatiana Siemiônovna, porém tudo em casa funcionava como um relógio, embora houvesse muita gente supérflua. Mas toda essa gente, que usava botas macias, sem saltos (Tatiana Siemiônovna considerava o ranger das solas de sapato e o bater de saltos como a coisa mais desagradável no mundo), toda essa gente parecia orgulhosa da sua condição, palpitavam ante a velha senhora, olhavam para mim e meu marido com um carinho condescendente e pareciam executar as suas tarefas com particular prazer. Todos os sábados, infalivelmente, lavava-se o chão da casa e batiam-se os tapetes, cada dia primeiro celebrava-se um ofício e esparzia-se água benta, sempre que uma criança recebia o nome de Tatiana Siemiônovna, do seu filho (e o meu, pela primeira vez, nesse outono), celebrava-se uma festança, convidando-se todos os vizinhos. E tudo isso fazia-se invariavelmente desde os primeiros tempos de que Tatiana Siemiônovna se lembrava. O meu marido não se imiscuía na administração da casa e ocupava-se somente com as coisas agrícolas e os camponeses, mas ficava muito atarefado. Mesmo no inverno, levantava-se muito cedo, de modo que, ao acordar, eu não o encontrava mais. Voltava geralmente para o chá, que tomávamos a sós, e quase sempre nessa ocasião, depois das correrias e preocupações decorrentes dos seus afazeres estava naquela peculiar disposição alegre que nós chamávamos de *entusiasmo selvagem*. Frequentemente, eu exigia que me contasse o que fizera de manhã, e ele me dizia tais absurdos que nós quase morríamos de rir: às vezes, eu exigia um relato sério, e ele o fazia, contendo o sorriso. Eu fitava-o nos olhos, nos lábios que se moviam, e não compreendia nada, apenas me alegrava de vê-lo e ouvir-lhe a voz.

— Bem, o que foi que eu disse? Repita — perguntava ele. Mas eu era incapaz de fazê-lo. Era tão engraçado que ele *me contasse* coisas que não se referiam a mim e a ele. Como se não me fosse indiferente tudo o que fazia por lá. Somente bem mais tarde, comecei a compreender um pouco as suas preocupações e a interessar-me por elas. Tatiana Siemiônovna não saía do quarto antes do jantar, tomava chá sozinha e só nos cumprimentava por meio de embaixadores. Em nosso mundinho peculiar, loucamente feliz, ressoava tão estranhamente aquela voz vinda de um outro canto, repassada de gravidade e boas maneiras, que eu frequentemente não me continha e somente dava gargalhada, em resposta à criada que, cruzando os braços, comunicava pausadamente que Tatiana Siemiônovna mandara saber como dormimos depois do passeio da véspera e comunicar que tivera a noite inteira uma dor do lado e que um cachorro estúpido da aldeia latira, impedindo-a de dormir. "E ainda mandou perguntar se gostaram das bolachas de hoje, e pediu para observar que não foi Tarás quem as preparou, mas, por experiência, pela primeira vez, o Nikolacha,[14] e saiu-se nada mal, principalmente com as rosquinhas, mas não tirou as torradas a tempo do forno." Até o jantar, passávamos pouco tempo juntos. Eu tocava piano, lia sozinha, ele escrevia, tornava a sair; mas, para o jantar, às quatro horas, reuníamo-nos na sala de visitas, a mãe dele deslizava para fora do seu quarto, e apareciam umas pobres fidalgas em peregrinação, pois havia sempre umas duas ou três hospedadas em casa. Todos os dias infalivelmente, meu marido, seguindo velho costume, dava o braço à mãe, a fim de conduzi-la para o jantar; mas ela exigia que me des-

---

[14] Diminutivo de Nikolai. (N. do T.)

se o outro, e infalivelmente, todos os dias, ficávamos comprimidos e atrapalhados na entrada da sala. Também a mãe presidia à mesa, e a conversa era sempre conveniente, judiciosa e um tanto solene. As palavras simples que eu trocava com meu marido destruíam agradavelmente a solenidade dessas sessões de jantar. Às vezes, tinham lugar entre o filho e a mãe discussões e caçoadas; eu gostava disso particularmente, pois nelas é que se expressava com mais força o amor terno e firme que os unia. Depois do jantar, *maman* sentava-se numa grande poltrona na sala de visitas e picava fumo ou cortava as páginas de livros recém-recebidos, e nós líamos em voz alta ou íamos à sala de repouso, para junto do piano. Nessa época, líamos muito, juntos, mas a música era o nosso melhor e mais amado prazer, atingindo cada vez novas cordas em nossos corações e como que tornando a desvendar-nos um ao outro. Quando eu tocava as suas peças prediletas, ele sentava-se num divã afastado, onde eu quase não o via, e por vergonha do sentimento, procurava esconder a impressão que a música lhe causava; mas frequentemente, quando ele menos esperava, eu erguia-me do piano, aproximava-me dele e tentava surpreender-lhe no rosto os vestígios de perturbação, o brilho pouco natural e os olhos úmidos, que ele procurava em vão esconder de mim. A mãe frequentemente tinha vontade de olhar para nós na sala de repouso, mas, provavelmente temerosa de nos constranger, e às vezes parecendo não nos olhar, cruzava a sala com um rosto fingidamente sério e indiferente; mas eu sabia que ela não tinha motivo para ir ao seu quarto e voltar tão depressa. Era eu quem servia o chá da noite, na grande sala de visitas, e novamente todos se reuniam à mesa. Durante muito tempo, eu ficava perturbada com esta sessão solene, junto ao espelho do samovar, e com a distribuição de copos e xícaras. Eu tinha continuamente a impressão de ser ainda indigna dessa honra, de ser demasiado jovem e fútil, para virar a torneira de um samovar tão grande, colocar o copo sobre a bandeja de Nikita e dizer: "A

Piotr Ivânovitch, a Mária Mínitchna", perguntar: "Está doce?" e deixar torrões de açúcar para a ama-seca e os criados mais merecedores. "Bonito, bonito — acrescentava muitas vezes meu marido —, parece gente grande", e isso perturbava-me ainda mais.

Depois do chá, *maman* espalhava o jogo da paciência ou ouvia as adivinhações de Mária Mínitchna; depois nos beijava a ambos, fazia sobre nós o sinal da cruz, e íamos para o nosso quarto. No entanto, quase sempre, ficávamos sentados até depois de meia-noite, e este era o nosso tempo melhor e mais agradável. Ele me contava o seu passado, fazíamos planos, às vezes filosofávamos e procurávamos dizer tudo a meia-voz, para que não nos ouvissem em cima e não fossem denunciar-nos a Tatiana Siemiônovna, que exigia de nós que deitássemos cedo. Às vezes, com fome, íamos às escondidas para a cozinha, obtínhamos a ceia fria, graças à proteção de Nikita, e a comíamos à luz de uma só vela, em meu escritório. Vivíamos os dois como estranhos nessa casa grande e velha, em que pairava sobre todas as coisas o espírito severo do antigo, bem como o de Tatiana Siemiônovna. Não apenas ela, mas os criados, as solteironas, a mobília, os quadros, suscitavam o meu respeito, certo medo e a consciência de que estávamos um pouco fora do nosso lugar, e que precisávamos viver ali com muito cuidado e atenção. Ao lembrar agora aqueles dias, vejo que muita coisa — aquela invariável ordem, que nos amarrava, aquela infinidade de pessoas ociosas e indiscretas em nossa casa — era incômoda e pesada; mas, naquele tempo, o próprio constrangimento em que vivíamos vivificava ainda mais o nosso amor. Não só eu, mas também ele, não dávamos mostra de que algo nos desagradava. Ele parecia até esconder-se do que era ruim. O criado de mamãe, Dmítri Sídorov, grande apreciador do cachimbo, ia regularmente todos os dias, depois do jantar, quando estávamos na sala de repouso, ao escritório de meu marido, a fim de apanhar fumo numa gaveta; e era de se ver o medo alegre com que Sierguiéi Mikháilitch acercava-se de mim na ponta dos pés e, fazendo ameaças com o dedo e piscando um olho, apontava Dmítri Sídorovitch, que não suspeitava de modo algum estar sendo visto. E quando Dmítri Sídorov ia embora sem nos ter percebido, contente porque tudo acabara bem, como das vezes anteriores, meu marido dizia que eu era uma pérola e beijava-me. Às vezes, desagradavam-me essa tranquilidade, esse perdão de tudo, essa como que indiferença: eu não percebia que o mesmo existia em mim, e considerava-o uma fraqueza. "É como uma criança que não ousa mostrar a sua vontade!" — pensava eu.

— Ah, minha amiga — respondeu-me de uma feita em que lhe disse estar surpreendida com a sua fraqueza —, pode-se acaso estar descontente com alguma coisa, quando se é tão feliz como eu? É mais fácil nós mesmos cedermos do que subjugar a outrem, já me convenci disso há muito tempo; e não existe uma situação em que não se possa ser feliz. E nós estamos tão bem! Não posso ficar zangado; para mim agora não existem coisas ruins, só existe o que é lastimável e o que é divertido. E, sobretudo, *le mieux est l'ennemi du bien*.[15] Acreditas? Quando ouço a campainha, quando recebo uma carta ou simplesmente acordo, tenho medo. Medo de que seja preciso viver, de que algo vá mudar; e não possa existir nada melhor que esta nossa vida de agora.

Eu acreditava, mas não o compreendia. Sentia-me bem, mas, ao mesmo tempo, tinha a impressão de que, embora tudo isso fosse assim, existia em alguma parte uma outra felicidade, ainda que não maior.

Assim decorreram dois meses, chegou o inverno com os seus frios e tempestades de neve, e, embora ele estivesse comigo, comecei a sentir-me solitária, comecei a sentir que a vida se repetia, e não havia quer em mim quer nele nada de novo, e que, pelo contrário, nós como que voltávamos ao anti-

---

[15] Provérbio francês: "o melhor é inimigo do bom". (N. do T.)

go. Ele começou a ocupar-se de negócios mais que antes, e novamente passou a parecer-me que havia em seu íntimo certo mundo peculiar, no qual ele não me queria deixar penetrar. A sua tranquilidade de sempre irritava-me. Eu o amava não menos que antes, e não menos que antes era feliz com o seu amor; mas o meu amor deteve-se e não crescia mais, e, além do amor, não sei que novo sentimento inquieto começava a penetrar-me furtivamente a alma. Amar era pouco para mim, depois que eu experimentara a felicidade de apaixonar-me por ele. Eu queria movimento, e não uma fluência tranquila da vida. Queria inquietação, perigos e autossacrifício em prol do sentimento. Havia em mim um excesso de força, que não encontrava lugar em nossa vida sossegada. Assaltavam-me repentes de angústia, que eu procurava esconder dele, como algo ruim, e repentes de ternura desenfreada e alegria, que o assustavam. Ele percebeu ainda antes de mim o meu estado e propôs-me irmos para a cidade; mas eu lhe pedi para não o fazermos, a fim de não mudar o nosso modo de vida, não alterar a nossa felicidade. E realmente eu era feliz; mas atormentava-me o fato de que essa felicidade não me custava nenhum trabalho, nenhum sacrifício, enquanto as forças do trabalho e do sacrifício, reprimidas, me faziam sofrer. Amava-o e via que era tudo para ele; mas eu queria que todos vissem o nosso amor, que me impedissem de amá--lo e que eu o amasse assim mesmo. A minha inteligência e até o meu sentimento estavam ocupados, mas havia outro sentimento: de juventude, de necessidade de movimento, e que não encontrava satisfação em nossa vida quieta. Por que ele me dissera que podíamos ir para a cidade, logo que eu o quisesse? Se não me dissesse isso, talvez eu tivesse compreendido que o sentimento que me fazia sofrer era um absurdo pernicioso, do qual eu era culpada, que o sacrifício procurado por mim estava ali, bem próximo, e consistia em sufocar aquele sentimento. Vinha-me involuntariamente o pensamento de que eu só podia salvar-me da angústia mudando para a cidade; e, ao mesmo tempo, tinha escrúpulos e lamentava arrancá-lo, para vantagem minha, de tudo o que ele amava. E, enquanto isso, o tempo ia passando, a neve escondia cada vez mais as paredes da casa, e nós sempre vivíamos sozinhos, e éramos sempre os mesmos um em relação ao outro; e alhures, ao longe, multidões humanas inquietas sofriam e alegravam-se, em meio ao brilho e ao ruído, sem pensar em nós nem em nossa existência, que desaparecia. O pior para mim estava no fato de que eu sentia como, dia a dia, os hábitos da vida acorrentavam a nossa existência numa forma determinada, como o nosso sentimento se tornava não livre, mas submetia-se à fluência regular, desapaixonada, do tempo. De manhã, nós éramos alegres, na hora do jantar respeitosos, à noitinha carinhosos. "O bem!... — dizia eu a mim mesma. — É excelente praticar o bem e viver honestamente, como ele diz; mas ainda teremos tempo para isso, e existe algo para o qual somente agora eu tenho força." Não era disso que eu precisava, mas de luta; eu necessitava que o sentimento nos dirigisse na vida, e não que a vida dirigisse o sentimento. Eu queria chegar com ele até um abismo e dizer: mais um passo e vou lançar-me ali, mais um movimento e estou perdida — e que ele empalidecesse à beira do abismo, me tomasse em seus braços vigorosos, me segurasse um pouco sobre o precipício, a ponto de meu coração ficar gelado, e me levasse para onde quisesse.

Esse estado afetou até a minha saúde e meus nervos começaram a ficar abalados. Certa manhã, eu me senti pior que de costume; ele viera mal-humorado do escritório da propriedade, o que raramente lhe acontecia. Percebi isso no mesmo instante e perguntei-lhe o que tinha. Mas ele não me quis contá-lo, dizendo que aquilo não valia a pena. Conforme eu soube mais tarde, o *isprávnik*[16] reunira os nossos mujiques, e, por antipatia ao meu marido, exigira deles certos atos ilegais

---

[16] Chefe da polícia de um distrito, na Rússia tsarista. (N. do T.)

e os ameaçara. Meu marido não pudera ainda aceitar tudo isso como apenas ridículo e insignificante, estava irritado e por isso não queria falar comigo. Mas eu tive a impressão de que era porque me considerava uma criança, que não poderia compreender o que o preocupava. Voltei-lhe o rosto, calei-me e mandei chamar para o chá Mária Mínitchna, que estava hospedada em nossa casa. Depois do chá, que eu terminei com peculiar rapidez, acompanhei-a à sala de repouso e pus-me a falar alto com ela de não sei que tolices, que eram nada divertidas para mim. Ele caminhou pela sala, dirigindo raramente os olhos para nós. Por algum motivo, aqueles olhares atuavam sobre mim de tal modo que eu tinha uma vontade cada vez maior de falar e, mesmo, de rir; parecia-me engraçado tudo o que eu dizia, bem como tudo o que dizia Mária Mínitchna. Sem me dizer nada, ele foi para o escritório e fechou a porta atrás de si. Quando deixamos de ouvi-lo, toda a minha alegria desapareceu num átimo, de modo que Mária Mínitchna ficou surpreendida e começou a perguntar o que eu tinha. Sem lhe responder, sentei-me no divã e tive vontade de chorar. "E o que ele está remoendo agora? — pensei. — Alguma tolice, que lhe parece importante, mas é só ele dizer-me, e eu lhe mostrarei que é tudo uma insignificância. Não, ele precisa pensar que eu não compreenderei, precisa humilhar-me com a sua tranquilidade altiva e sempre ter razão contra mim. Mas, em compensação, também eu tenho razão quando sinto tédio e vacuidade, quando quero viver, movimentar-me — pensei — em vez de ficar parada no mesmo lugar e sentir como o tempo passa por cima de mim. Quero ir para frente e, cada dia, cada hora, quero algo novo, e ele quer deter-se e deter-me com ele. E como o contrário seria fácil para ele! Para isso, não precisava levar-me para a cidade, para isso precisa ser apenas uma pessoa como eu, não se violentar, não se frear, mas viver com simplicidade. É exatamente isso que ele me aconselha, mas ele mesmo não é simples. Aí é que está!"

Senti que lágrimas me assediavam o coração e que eu estava irritada com meu marido. Assustei-me com esta irritação e fui para junto dele. Estava sentado no escritório, escrevendo. Ouvindo os meus passos, olhou-me por um instante, com indiferença e tranquilidade, e continuou a escrever. Este olhar não me agradou; em lugar de acercar-me dele, cheguei-me à mesa em que escrevia e, abrindo um livro, pus-me a olhar. Ele desviou mais uma vez os olhos do trabalho, dirigindo-os para mim.

— Macha! Estás de mau humor?

Respondi com um olhar frio, que significava: "Não precisas perguntar! Que amabilidades são essas?". Ele meneou a cabeça e sorriu com timidez e carinho, mas, pela primeira vez, o meu sorriso não respondeu ao seu.

— O que foi que te aconteceu hoje? — perguntei. — Por que não me contaste?

— São bobagens! Um pequeno aborrecimento. Mas, agora, posso contar-te. Dois mujiques foram à cidade...

Mas eu não deixei que terminasse.

— Por que não me contaste isso naquela hora em que te perguntei, durante o chá?

— Teria dito alguma tolice, estava então muito zangado.

— Mas era justamente então que eu precisava disso.

— Para quê?

— Por que pensas que eu nunca posso ajudar-te em nada?

— Como: penso? — disse ele, largando a pena. — Eu penso que não posso viver sem ti. Não só tu me ajudas em tudo, tudo, mas também fazes tudo. Que coisa imaginaste! — riu ele. — Somente tu me fazes viver. Tenho a impressão de que tudo está bem unicamente porque estás aqui, porque preciso de ti...

— Sim, eu sei, sou uma criança querida, que é preciso tranquilizar — disse eu com tal entonação que ele me olhou surpreso, como se visse algo pela primeira vez. — Eu não quero tranquilidade, tu a possuis bastante, bastante mesmo — acrescentei.

— Bem, estás vendo do que se trata? — começou ele apressado, interrompendo-me, evidentemente com medo de me deixar dizer tudo. — Como o resolverias?

— Agora não quero — respondi. Embora eu tivesse vontade de ouvi-lo, agradava-me tanto destruir a sua tranquilidade. — Eu não quero brincar de vida, quero viver do mesmo modo que tu.

O seu rosto, onde tudo se refletia tão rápida e vivamente, expressou dor e uma atenção concentrada.

— Quero viver contigo em concórdia, contigo...

Mas não consegui dizer até o fim o que pretendia: o seu rosto expressou tanta tristeza, e tão profunda. Calou-se um pouco.

— E onde está a falta de concórdia na tua vida comigo? — disse ele. — Estará no fato de que eu, e não tu, ocupo-me com o *isprávnik* e com mujiques bêbados?...

— Não é só nisso — disse eu.

— Compreende-me, pelo amor de Deus, meu bem — prosseguiu ele — eu sei que as inquietações sempre nos causam sofrimento, eu vivi e aprendi isto. Eu te amo e, por conseguinte, não posso deixar de querer livrar-te das inquietações. Nisso consiste a minha vida, no amor por ti; mas, neste caso, não me impeças também de viver.

— Tens sempre razão! — disse eu, sem olhá-lo.

Eu sentia despeito pelo fato de que, novamente, tudo estava claro e tranquilo em sua alma, enquanto em mim havia amargura e um sentimento que se assemelhava a remorso.

— Macha! O que tens? — disse ele. — Não se trata de saber se tu ou eu temos razão, mas de algo muito diverso: o que tens contra mim? Não fales de repente, pensa um pouco, para me dizeres tudo o que pensas. Estás descontente comigo, e tens provavelmente razão, mas deixa-me compreender qual é a minha culpa.

Mas como podia eu expressar-lhe a minha alma? Perturbou-me ainda mais que ele me tivesse compreendido com tanta rapidez, que eu fosse novamente uma criança perante ele e nada pudesse fazer que ele não compreendesse e não tivesse previsto.

— Não tenho nada contra ti — disse eu. — Simplesmente, tenho tédio, e não quero senti-lo. Mas tu dizes que assim é que deve ser e, mais uma vez, tens razão!

Dito isso, olhei para ele. Atingira o meu objetivo, sua tranquilidade desaparecera, havia sofrimento e medo em seu rosto.

— Macha — começou ele, a voz baixa, perturbada. — O que fazemos agora não é uma brincadeira. Está-se decidindo o nosso destino. Peço-te não responder nada e prestar muita atenção. Por que pretendes atormentar-me?

Mas eu o interrompi.

— Sei que terás razão. É melhor não falares, tens razão — disse eu com frieza, como se não fosse eu, mas algum mau espírito, que falasse em mim.

— Se soubesses o que fazes! — disse ele, a voz trêmula.

Chorei e me senti aliviada. Ele estava sentado ao meu lado, silencioso. Eu tinha pena dele, vergonha por mim e aborrecimento por aquilo que acabava de fazer. Não o olhava. Tinha a impressão de que, nesse momento, ele devia me olhar severo ou com perplexidade. Espiei: estava fixo em mim um olhar humilde, terno, como que pedindo perdão. Tomei-lhe a mão e disse:

— Perdoa-me! Eu mesma não sei o que disse.

— Sim; mas eu sei o que disseste, e dizias a verdade.

— O quê? — perguntei.

— Que devemos viajar para Petersburgo — disse ele. Não temos mais o que fazer aqui.

— Como queiras — disse eu.

Abraçou-me e beijou-me.

— Perdoa-me — disse ele. — Sou culpado em relação a ti.

Nessa noite, toquei piano para ele longamente, e ele ficou caminhando pelo quarto, murmurando algo. Tinha o hábito de murmurar, e eu perguntava-lhe com frequência o que murmurava, e, depois de pensar um pouco, ele sempre me respondia exatamente o que murmurara: na maioria dos casos, eram versos, às vezes umas tolices tremendas, mas tolices pelas quais eu ficava conhecendo o seu estado de espírito.

— O que estás murmurando hoje? — perguntei.

Parou, pensou um pouco e, sorrindo, respondeu com dois versos de Liérmontov.[17]

> ... *E o insensato quer tormenta,*
> *Como se nela houvesse paz!*

"Não, ele é mais que uma pessoa; ele sabe tudo! — pensei — Como não o amar?!"

Levantei-me, dei-lhe o braço e pus-me a andar com ele, procurando acertar o passo.

— Sim? — perguntou, olhando-me com um sorriso.

— Sim — disse eu, num murmúrio; e não sei que disposição alegre apossou-se de nós ambos, os nossos olhos riam, e dávamos passos cada vez maiores, e cada vez nos erguíamos mais nas pontas dos pés. E para grande indignação de Grigóri e espanto de mamãe, que estava espalhando a sua paciência na sala de visitas, dirigimo-nos com o mesmo passo, através de toda a casa, para a sala de jantar, onde nos detivemos, olhamo-nos e soltamos uma gargalhada.

Duas semanas depois, nas vésperas de um feriado, já estávamos em Petersburgo.

---

[17] O escritor e poeta romântico russo Mikhail Liérmontov (1814-1841). (N. do T.)

II

A nossa viagem para Petersburgo, a semana passada em Moscou, os parentes dele e os meus, a instalação no apartamento novo, a estrada, as novas cidades, os rostos novos — tudo isso passou como um sonho. Tudo isso era tão variado, novo, alegre, tudo isso aparecia tão cálida e intensamente iluminado pela sua presença, pelo seu amor, que a pacata vida de roça pareceu-me algo muito distante no tempo e insignificante. Para meu grande espanto, em lugar da altivez mundana e da frieza que eu esperara encontrar nas pessoas, todos me recebiam com um carinho tão sincero, com tamanha alegria (não só os parentes, mas também os estranhos) que, segundo parecia, todos eles só haviam pensado em mim e era só a mim que esperavam, para que eles mesmos também se sentissem bem. De maneira igualmente inesperada para mim, apareceram para meu marido muitos conhecidos mesmo no círculo da sociedade que me parecia mais elevado, e dos quais ele nunca me falara; e frequentemente era-me estranho e desagradável ouvir dele juízos severos sobre algumas dessas pessoas, que me pareciam tão bondosas.

Eu não podia compreender por que ele os tratava tão secamente e por que evitava muitas relações que me pareciam lisonjeiras. No meu entender, quanto mais pessoas bondosas se conhecesse, melhor, e todos eram bondosos.

— Está vendo como nos instalaremos? — disse ele, antes de deixarmos a aldeia — Aqui, somos pequenos Cresos, e lá seremos nada ricos, e por isso devemos morar na cidade somente até a Semana Santa e não frequentar a sociedade, senão vamos encalacrar-nos; e também para ti eu não gostaria...

— Para quê a sociedade? — respondia eu. — Vamos apenas visitar os parentes, frequentar teatros, assistir à ópera, ouvir boa música, e, antes da Páscoa, voltaremos para o campo.

Mal chegamos a Petersburgo, porém, estes planos ficaram esquecidos. Encontrei-me de repente num mundo tão novo e feliz, fui envolvida por tantas alegrias, interesses tão novos surgiram diante de mim, que renunciei num átimo, ainda que inconscientemente, a todo o meu passado e a todos os projetos desse passado. "Aquilo foi tudo à toa, umas brincadeiras; ainda não começara; mas eis a vida de verdade! E o que mais vai acontecer?" — pensava eu. A inquietação e um começo de angústia, que me perturbavam na roça, desapareceram por completo, num instante, como que por milagre. O amor pelo marido tornou-se mais repousado, e ali nunca me acudiu à mente a pergunta de se ele me amava menos. Ademais, eu não podia duvidar de seu amor, qualquer pensamento meu era compreendido imediatamente, qualquer sentimento partilhado, qualquer vontade satisfeita por ele. A sua tranquilidade desaparecera ali ou não me irritava mais. Além disso, eu sentia que, além do seu amor por mim, ele também se extasiava comigo. Frequentemente, depois de uma visita, de travar relações com alguém ou de uma recepção em nossa casa, quando eu, tremendo interiormente, com medo de errar, cumpria a função de dona de casa, ele dizia: "Mas que menina! Que bonito! Não se atemorize. Palavra que está bom!". E eu ficava muito contente. Pouco depois da nossa chegada, ele escrevera uma carta à mãe, e, quando me chamou para acrescentar umas linhas, não quis deixar ler o que escrevera, em consequência do que eu naturalmente o exigi e li. "A senhora não reconhecerá Macha — escrevia ele — e eu mesmo não a reconheço. De onde lhe vem esta simpática e graciosa confiança em si, esta afabilidade, e mesmo uma inteligência típica da sociedade, além do jeito amável? E tudo isso simples, agradável, bonachão. Todos estão entusiasmados com ela, e eu mesmo não me canso de extasiar-me, e, se fosse possível, amá-la-ia mais ainda."

"Ah! Então, assim é que eu sou!" — pensei. E senti bem-estar e alegria, pareceu-me até que o amava ainda mais. O meu êxito junto a todas as nossas relações foi completamente inesperado para mim. De todos os lados me diziam ora que eu agradara particularmente ao titio, ora que a tia estava completamente louca por mim, um me dizia que em Petersburgo não havia mulheres como eu, uma outra me afirmava que me bastava querer para me tornar a mulher mais *fina* da sociedade. Sobretudo uma prima de meu marido, a princesa D., mulher da sociedade já entrada em anos, e que de repente se apaixonara por mim, dizia-me mais que todos coisas lisonjeiras, que me faziam girar a cabeça. Quando, da primeira vez, a prima convidou-me para um baile e pediu isso a meu marido, ele dirigiu-se a mim e, com um sorriso ladino, quase imperceptível, perguntou se eu queria ir. Acenei afirmativamente a cabeça e senti que corava.

— Parece uma criminosa confessando o que tem vontade de fazer — disse ele, com um riso bonachão.

— Mas tu dizias que nós não podemos frequentar a sociedade, e também não gostas disso — respondi, sorrindo e dirigindo-lhe um olhar súplice.

— Se tens muita vontade, vamos — disse ele.

— É melhor ficar em casa, palavra.

— Mas queres? Muito? — tornou ele a perguntar.

Não respondi.

— A sociedade ainda não é grande mal — prosseguiu —, mas o que é ruim e feio são os desejos sociais insatisfeitos. Temos que ir sem falta, e iremos — concluiu decidido.

— Para ser sincera contigo — retruquei —, eu desejava este baile mais que tudo no mundo.

Fomos, e o prazer que experimentei superou todas as minhas expectativas. No baile, ainda mais que antes, tive a impressão de ser o centro, junto ao qual tudo se movimentava, que somente para mim estava iluminado aquele grande salão, tocava a música e se reunira toda aquela gente, que se extasiava comigo. Todos, a começar pelo cabeleireiro e pela empregada e acabando com os dançarinos e com os velhos que cruzavam o salão, pareciam dizer-me ou dar-me a entender que me amavam. A opinião geral que se formou a meu respeito nesse baile, e que me foi transmitida pela prima, consistia em que eu era de todo diferente das demais mulheres e que havia em mim algo peculiar, da roça, singelo e encantador. Este êxito lisonjeou-me tanto que eu disse francamente ao meu marido como gostaria de nesse ano ir ainda a uns dois ou três bailes, "e isso para me fartar bem deles", acrescentei, com uma dose de fingimento íntimo.

Meu marido concordou de bom grado e, nos primeiros tempos, acompanhou-me com evidente prazer, alegrando-se com os meus êxitos e, segundo parecia, completamente esquecido do que afirmara antes, ou tendo renunciado a isso.

Ulteriormente, tornou-se claro que ele se aborrecia e achava penosa a vida que levávamos. Mas eu tinha mais em que pensar; mesmo notando às vezes o seu olhar atento e sério, fixado interrogativamente em mim, eu não lhe compreendia a significação. Estava tão ofuscada com este amor que eu, parecia-me, subitamente despertara em todos os estranhos, com este ar de elegância, de prazer e de novidade, que eu respirava ali pela primeira vez, a tal ponto desaparecera de súbito a influência moral dele, que me esmagava, era para mim tão agradável não só igualar-me a ele nesse mundo, mas até colocar-me acima dele, e por isso amá-lo ainda mais, de modo mais independente, que eu não conseguia compreender o que ele podia ver de desagradável para mim na vida em sociedade. Eu experimentava o sentimento novo para mim de orgulho e autossatisfação, quando, entrando num baile, via todos os olhos dirigidos para mim, e quando ele, como que se constrangendo de confessar perante a multidão a sua posse sobre mim, apressava-se a deixar-me e perdia-se na turba negra dos fraques. "Espere! — pensava eu com frequência, procurando com os olhos, no fundo do salão, o seu vulto não notado, às vezes expressando tédio — espere! — pensava — chegaremos em casa e compreenderás e verás para quem eu me esforcei em ser bonita e brilhante, e o que eu amo em tudo o que me rodeia esta noite." Eu mesma tinha sinceramente a impressão de que os meus êxitos alegravam-me unicamente por causa dele, para que eu estivesse em condições de sacrificá-los por ele. A vida em sociedade, pensava eu, só podia tornar-se nociva se eu me sentisse atraída por algum dos homens que eu encontrava ali e assim despertasse o ciúme do meu marido; mas ele confiava tanto em mim, parecia tão tranquilo e indiferente, e eu via todos aqueles jovens tão insignificantes em comparação com ele, que mesmo o único, a meu ver, perigo da sociedade não me atemorizava. Mas, não obstante isso, a atenção de muitos homens que encontrava dava-me prazer, lisonjeava o meu amor-próprio, obrigava a pensar que havia certo mérito em meu amor pelo meu marido, e tornava a minha maneira de tratá-lo mais autoconfiante e como que mais descuidada.

— Eu te vi conversar muito animado com N. N. — disse eu de uma feita em que voltávamos de um baile, ameaçando-o com o dedo e nomeando uma das damas conhecidas de Petersburgo, com quem ele realmente conversara aquela noite. Eu dissera-o para sacudi-lo um pouco, pois estava particularmente silencioso e entediado.

— Ah, para que falar assim? E ainda mais tu, Macha! — deixou ele escapar entre os dentes, com uma careta, que parecia causada por uma dor física. — Como isso não combina conosco! Deixa isso para os demais; estas relações falsas podem estragar as nossas verdadeiras, e eu ainda tenho a esperança de que voltemos às verdadeiras.

Envergonhei-me e fiquei calada.

— Vão voltar essas relações, Macha? Qual é a tua impressão? — perguntou ele.

— Elas nunca se estragaram, nem vão se estragar — disse eu, e era justamente a minha opinião na época.

— Deus queira — disse ele —, pois já é tempo de voltarmos para o campo.

Mas ele só me disse isso uma vez, o resto do tempo parecia-me sentir-se tão bem como eu, que experimentava tamanha alegria e contentamento. E se às vezes ele se aborrece — consolava-me eu —, também eu me entediei por sua causa na roça; e se as nossas relações chegaram a modificar-se um pouco, tudo voltará a ser como antes, logo que fiquemos a sós com Tatiana Siemiônovna, em nossa casa de Nikólskoie.

Assim decorreu o inverno, imperceptivelmente para mim, e, contrariamente aos nossos planos, passamos em Petersburgo mesmo a Semana Santa. Na semana seguinte, quando já nos preparávamos para viajar, as malas feitas, meu marido, que estava comprando presentes e objetos para amenizar a vida na aldeia, encontrava-se num estado de ânimo particularmente carinhoso e alegre. A prima inesperadamente veio visitar-nos e pediu que ficássemos até sábado, a fim de ir à recepção da condessa R. Ela dizia que esta insistia muito na minha presença, que o príncipe M., então em Petersburgo, ainda no baile anterior manifestara a intenção de conhecer-me, somente por isso ia à recepção, e dizia que eu era a mulher mais bonitinha de toda a Rússia. A cidade inteira estaria lá, e, numa palavra, seria muito feio se eu não comparecesse.

Meu marido estava então na outra ponta da sala de visitas, conversando com alguém.

— Então, virá, Marie? — perguntou a prima.

— Nós queríamos voltar depois de amanhã para a roça — respondi vacilante, depois de dirigir um olhar ao meu marido. Os nossos olhos encontraram-se, ele virou apressadamente o rosto.

— Vou convencê-lo a ficar — disse a prima — e nós vamos deixar todo mundo tonto no sábado. Certo?

— Isso estragaria os nossos planos, e nós já fizemos as malas — respondi, começando a render-me.

— Seria melhor que ela fosse esta noite saudar o príncipe — disse o meu marido da outra ponta da sala, num tom de irritação contida, que eu nunca lhe ouvira.

— Ah! Ele está enciumado, é a primeira vez que vejo isso — riu a prima. — Mas não é por causa do príncipe, Sierguiéi Mikháilovitch, que eu a estou convencendo, é por causa de nós todos. Como a condessa R. insistiu em que ela viesse!

— Depende dela — disse meu marido com frieza e saiu.

Vi que estava mais perturbado que de costume; isto me atormentou e eu não disse nada à prima. Apenas ela partiu, fui ter com o meu marido. Ele estava caminhando pensativo de um canto a outro e não me viu nem ouviu entrar na sala nas pontas dos pés.

"Ele já está imaginando a nossa querida casa de Nikólskoie — pensei, olhando para ele —, o café matinal na clara sala de visitas, os campos, os mujiques, os serões na sala de repouso e as misteriosas ceias noturnas. Não! — decidi comigo mesma — Vou trocar todos os bailes do mundo e a lisonja de todos os príncipes pela sua alegre perturbação, pelos seus suaves carinhos." Quis dizer-lhe que não iria à recepção, que não tinha vontade, quando, de repente, ele se voltou e, vendo-me, ficou sombrio e mudou a expressão humilde e pensativa do rosto. Seu olhar tornou a expressar penetração, sabedoria e uma serenidade protetora. Não queria que eu visse nele uma pessoa comum; precisava apresentar-se sempre perante mim como um semideus sobre um pedestal.

— O que queres, minha amiga? — perguntou, voltando-se descuidada e tranquilamente para mim.

Não respondi. Fiquei magoada porque ele escondia-se de mim, porque não queria permanecer do jeito como eu o amava.

— Queres ir sábado à recepção? — perguntou-me.

— Eu queria — respondi —, mas isso não te agrada. E além disso, as malas já estão feitas — acrescentei.

Nunca ele me olhara com tamanha frieza, nunca falara comigo tão friamente.

— Não vou partir antes de terça-feira, e mandarei desfazer as malas — disse ele —, por isso podes ir, se tens vontade. Vai, por favor. Eu não vou partir.

Tal como sempre nas ocasiões de perturbação, pôs-se a caminhar nervoso pelo quarto, sem olhar para mim.

— Decididamente, não te compreendo — disse eu, parada no mesmo lugar e seguindo-o com os olhos —, dizes que estás sempre tão calmo (ele jamais o dissera). Por que falas comigo de modo tão estranho? Estou pronta a sacrificar por ti este prazer, e tu me exiges, com um tom irônico que nunca usaste comigo, que eu vá.

— E então?! Tu *fazes sacrifício* (deu uma entonação peculiar a essa frase), e eu faço sacrifício também, o que pode haver de melhor? A luta da grandeza de alma. Para que então felicidade conjugal?

Era a primeira vez que eu lhe ouvia palavras tão exasperadamente zombeteiras. A sua zombaria não me envergonhou, mas ofendeu-me, e a exasperação não me assustou, mas comunicou-se a mim. Era ele quem me dizia isso, ele que sempre temera uma frase que pudesse prejudicar as nossas relações, ele que era sempre simples e franco? E por quê? Exatamente porque eu quisera sacrificar-lhe um prazer, no qual não podia ver nada de ruim, e porque um instante antes disso eu o compreendia e amava tanto. Trocaram-se os nossos papéis: ele evitava as palavras simples e diretas, enquanto eu as procurava.

— Tu mudaste muito — disse eu, depois de um suspiro. — Em que sou culpada diante de ti? Não é essa recepção e sim algo mais velho e diferente que tens contra mim no coração. Para quê a insinceridade? Não eras tu quem a temia tanto em outros tempos? Deves dizer francamente: o que tens contra mim? — "O que terá para dizer?" — pensei, lembrando envaidecida que não tinha nada a me censurar em todo aquele inverno.

Fui para o centro do quarto, de modo que ele precisava passar perto de mim, e fiquei olhando para ele. "Vai aproximar-se, abraçar-me, e tudo estará acabado" — acudiu-me à mente e tive até pena de que não fosse mais necessário demonstrar-lhe que não tinha razão. Mas ele parou na extremidade do quarto e me olhou.

— Continuas não compreendendo? — perguntou.

— Não.

— Neste caso, vou dizer-te uma coisa. Tenho nojo, pela primeira vez tenho nojo do que sinto e não posso deixar de sentir. — Deteve-se, aparentemente assustado com o som rude da sua voz.

— E então? — perguntei, com lágrimas de indignação.

— Tenho nojo porque o príncipe achou-te bonitinha e porque, por causa disso, corres ao encontro dele, esquecendo o marido, a ti mesma, a dignidade de mulher, e não queres compreender o que deve sentir em teu lugar o teu marido, se em ti mesma não existe sentimento de dignidade; pelo contrário, vens dizer ao marido que *fazes sacrifício*, isto é, "apresentar-me perante Sua Alteza é uma grande felicidade para mim, mas eu a *sacrifico*".

Quanto mais ele falava, mais se inflamava com o som da própria voz, que soava com um tom áspero, grosseiro, mordaz. Eu nunca o vira nem esperara ver desse jeito; o sangue afluiu-me ao coração, eu tinha medo, mas ao mesmo tempo perturbava-me um sentimento de vergonha imerecida e de amor-próprio ofendido, e vinha-me uma vontade de vingar-me do meu marido.

— Eu já o esperava há muito — disse —, fala, fala.

— Não sei o que esperavas — prosseguiu ele —, quanto a mim, podia esperar o pior, vendo-te diariamente nessa lama e ociosidade, em meio ao luxo da sociedade estúpida; e acabei por compreender... Compreendi o seguinte: hoje, senti vergonha e dor como nunca; dor por mim, quando a tua amiga penetrou-me no coração com as suas mãos sujas e pôs-se a falar de ciúme, do meu ciúme, e por quem? Por um homem que nem eu nem tu conhecemos. E tu, como se fosse de propósito, não queres compreender-me e queres sacrificar-me o quê?... Tenho vergonha por ti, pela tua humilhação!... Uma sacrificada! — repetiu ele.

"Ah! Então é este o poder do marido — pensei. — Ofender e humilhar uma mulher sem nenhuma culpa. Nisso é que consistem os direitos do marido, mas eu não me submeterei a eles."

— Não, eu não sacrifico nada a ti — disse eu, sentindo dilatarem-se desmesuradamente as narinas e o sangue abandonar-me o rosto. — Vou sábado à recepção, vou sem falta.

— E que Deus te conceda grande prazer, mas tudo está acabado entre nós dois! — gritou ele, já num acesso de incontido furor. — Mas tu não vais me atormentar mais. Fui um tolo porque... — começou novamente, mas tremeram-lhe os lábios, e ele conteve-se, com evidente esforço, de concluir o que começara.

Eu temia-o e odiava-o nesse instante. Queria dizer-lhe muita coisa e vingar-me de todas as ofensas; mas, se abrisse a boca, cairia em pranto e me diminuiria perante ele. Calada, saí do quarto. Mas apenas deixei de ouvir seus passos, fiquei horrorizada com o que fizéramos.

Tive medo, porque parecia romper-se para sempre aquela ligação, que era toda a minha felicidade, e quis voltar. "Mas estará ele suficientemente tranquilizado, para compreender-me, quando eu lhe estender em silêncio a mão e olhar para ele? — pensei. — Compreenderá a minha generosidade? E o que acontecerá se ele chamar a minha aflição de fingimento? Ou certo de estar com a razão, com um orgulho tranquilo, aceitar o meu arrependimento e me perdoar?

E por que, por que ele, que eu tanto amei, ofendeu-me tão cruelmente?..."

Dirigi-me não para ele, mas para o meu quarto, onde fiquei muito tempo sentada sozinha, chorando, lembrando horrorizada cada palavra da conversa que tivéramos, substituindo esses termos por outros, acrescentando palavras de bondade, e lembrando novamente, com horror e um sentimento de ofensa, tudo o que sucedera. Quando, à noitinha, saí para o chá e, na presença de S., que nos visitava, encontrei-me com meu marido, senti que, a partir desse dia, um abismo tinha se cavado entre nós. S. perguntou-me quando viajaríamos. Não tive tempo de lhe responder.

— Terça-feira — respondeu meu marido —, nós ainda iremos à recepção da condessa R. Tu vais mesmo, não é verdade? — disse, dirigindo-se a mim.

Assustei-me com o som dessa voz singela e olhei timidamente para meu marido. Os seus olhos estavam fixos diretamente em mim, o olhar era mau e zombeteiro, a voz fria e regular.

— Sim — respondi.

Mais tarde, quando ficamos a sós, aproximou-se de mim e estendeu-me a mão.

— Esquece, por favor, tudo o que eu te disse.

Tomei-lhe a mão, um sorriso trêmulo apareceu-me no rosto, e lágrimas estavam prontas a escorrer-me dos olhos, mas ele retirou a mão e, como que temendo uma cena sentimental, sentou-se na poltrona, bastante afastado de mim. "Será possível que ele continue a julgar-se com a razão?", pensei, e a explicação, que já tinha pronta, bem como o pedido de não ir àquela recepção detiveram-se sobre a minha língua.

— Temos que escrever a mamãe que adiamos a partida — disse ele —, senão, ficará preocupada.

— E quando pretendes partir? — perguntei.

— Terça-feira, depois da recepção — respondeu.

— Espero que não seja por minha causa — disse eu, fitando-o nos olhos, mas os dele estavam somente olhando e não me diziam nada, como que toldados com algo. De súbito, seu rosto pareceu-me velho e desagradável.

Fomos à recepção, e relações boas, amistosas, pareciam novamente estabelecidas entre nós; mas essas relações eram de todo diferentes das anteriores.

Na recepção, eu estava entre umas senhoras, quando o príncipe acercou-se de mim, de modo que eu tive de me levantar, a fim de conversar com ele. Levantando-me, procurei involuntariamente meu marido com os olhos e vi que, no outro canto da sala, ele me olhava, e que, nesse momento, virava a cabeça. De repente, senti tanta vergonha e mágoa que me confundi morbidamente, e um rubor cobriu-me o rosto e o pescoço, sob o olhar do príncipe. Mas eu tive de ficar ali de pé e ouvir o que ele me dizia, examinando-me de cima. A nossa conversa foi breve, ele não tinha um lugar para se sentar junto a mim, e provavelmente percebeu que eu me sentia muito constrangida. A conversa versou sobre o baile anterior, sobre o lugar em que eu passava o verão etc. Ao afastar-se de mim, manifestou o desejo de conhecer meu marido, e eu os vi conversando na outra extremidade do salão. O príncipe, provavelmente, disse algo a meu respeito, pois, em meio à conversa, sorriu e olhou na minha direção.

Meu marido de repente corou, fez uma saudação profunda e afastou-se do príncipe. Corei também, tive vergonha da ideia que o príncipe faria de mim e, sobretudo, de meu marido. Tive a impressão de que todos notaram o meu embaraço, quando eu falava com ele, bem como a estranha conduta de meu marido; Deus sabe como podiam explicá-la; não estariam mesmo a par da minha conversa com ele? A prima acompanhou-me até nossa casa, e, pelo caminho, conversamos sobre meu marido. Não me contive e contei-lhe tudo o que sucedera entre nós por causa dessa infeliz recepção. Ela procurou acalmar-me, dizendo que era uma desavença insignificante e muito comum, que não deixaria vestígios; explicou-me também, do seu ponto de vista, o caráter de meu marido, achou que ele se tornara muito arredio e orgulhoso; concordei com ela, e tive a impressão de que eu mesma passara a compreendê-lo melhor, com mais tranquilidade.

Mas depois, a sós com ele, este juízo a seu respeito ficou como um crime sobre a minha consciência, e eu senti que o abismo entre nós tornara-se ainda maior.

III

A partir desse dia, transformaram-se completamente nossa vida e nossas relações. Não sentíamos o mesmo prazer de outrora em ficar a sós. Havia problemas que evitávamos com circunlóquios, e conversávamos mais facilmente em presença de um terceiro. Apenas se abordava a nossa vida na roça ou num baile, ficávamos atordoados e com vergonha de olhar um para o outro. Era como se ambos sentíssemos o lugar onde ficava o abismo que nos separava, e temêssemos aproximar-nos dele. Eu estava certa de que ele era orgulhoso e irritadiço e que devia tomar cuidado, a fim de não tocar nas suas fraquezas. Ele tinha certeza de que eu não podia viver longe da sociedade, que a vida rural não me aprazia e que era preciso submeter-se a este gosto infeliz. Ambos evitávamos conversas diretas sobre esses temas, e fazíamos juízo falso um sobre o outro. Havia muito tempo já que deixáramos de ser um para o outro a pessoa mais perfeita do mundo, já fazíamos comparações com gente conhecida e, em segredo, julgávamos um ao outro. Fiquei adoentada antes do dia da partida e, em lugar de irmos para o campo, mudamo-nos para nossa casa de veraneio, nas proximidades, de onde meu marido viajou sozinho para junto da mãe. Quando ele estava de partida, eu já me restabelecera o suficiente para acompanhá-lo, mas ele convenceu-me a ficar ali, como se temesse pela minha saúde. Percebi que o seu temor não era pela saúde, mas que estava com medo de que não viveríamos bem no campo; não insisti muito e fiquei. Na sua ausência, senti vazio e solidão, mas, quando voltou, percebi que ele não acrescentava mais à minha vida o que lhe acrescentara outrora. As nossas relações de antes, quando todo pensamento ou impressão não comunicados a ele pesavam-me como um crime, quando toda ação, toda palavra dele pareciam-me um exemplo de perfeição, quando, de alegria, dava-nos vontade de rir, ao olharmo-nos, essas relações transformaram-se tão imperceptivelmente que nem o notamos. Apareceram para cada um de nós interesses e preocupações próprios, específicos, e que não tentávamos mais fazer comuns. Deixou de confundir-nos o fato de cada um ter o seu mundo isolado, estranho para o outro. Acostumamo-nos com esta ideia, e um ano depois até deixamos de ficar atordoados, quando nos encarávamos. Desapareceram completamente os seus acessos de alegria na minha presença, o comportamento juvenil, desapareceram o seu perdão e indiferença em relação a tudo, que antes me indignavam, não lhe apareceu mais o olhar profundo que, antes, sempre me deixava confusa e me alegrava, sumiram as orações, os êxtases em comum, deixamos até de ver-nos com frequência, ele estava continuamente de viagem, e não temia, não lamentava deixar-me sozinha; eu aparecia continuamente na sociedade, onde não precisava dele.

Não havia mais entre nós cenas e desavenças, eu procurava agradar-lhe, ele satisfazia todas as minhas vontades, e parecíamos amar-nos.

Quando ficávamos a sós, o que já acontecia raramente, eu não experimentava alegria, nem perturbação, nem encabulamento, como se estivesse a sós comigo mesma. Eu sabia muito bem que ele era o meu marido, não algum homem novo, desconhecido, mas um homem bom, o meu marido, que eu conhecia como a mim mesma. Estava certa de saber tudo o que ele faria e diria, e como olharia; e se ele fazia algo ou olhava de maneira diversa da que eu esperava, tinha a impressão de que fora ele quem se enganara. Não esperava dele nada. Numa palavra, era meu marido e nada mais. Parecia-me que tudo devia ser assim mesmo, que não existiam relações de outro tipo e que elas nunca existiram entre nós. Quando ele partia, sobretudo nos primeiros tempos, eu me sentia solitária, assustava-me, na sua ausência sentia mais intensamente a significação do seu apoio para mim; quando ele chegava, atirava-me de alegria ao seu pescoço, embora duas horas depois esquecesse completamente essa alegria e não tivesse mais o que falar com ele. Apenas nos momentos de uma ternura quieta, moderada, que havia entre nós, eu tinha a impressão de que algo não estava bem, que algo me machucava o coração, e parecia-me ler o mesmo nos seus olhos. Eu sentia essa fronteira da ternura que ele agora como que não queria, e que eu não podia transpor. Isso entristecia-me às vezes, mas não havia tempo para se ficar pensando fosse no que fosse, e eu procurava esquecer essa tristeza da mudança confusamente percebida, entregando-me a divertimentos que estavam continuamente à minha disposição. A vida de sociedade, que a princípio me deixou ofuscada com o brilho e com as lisonjas ao amor-próprio, logo apossou-se totalmente dos meus gestos, tornou-se um hábito, impôs-me suas cadeias e ocupou em minha alma todo o lugar disponível ali para o sentimento. Agora, nunca mais ficava a sós comigo mesma e temia pensar na minha situação. Todo o meu tempo, desde tarde da manhã até tarde da noite, estava ocupado e não me pertencia, mesmo que eu não saísse de casa. Isto não me alegrava nem entediava mais, mas dava a impressão de que tudo sempre devia ser assim e não de outra maneira.

    Passaram-se três anos, no decorrer dos quais as nossas relações permaneceram as mesmas, como que se detiveram, estratificaram-se, e não podiam já tornar-se melhores ou piores. Nesses três anos, houve em nossa vida familiar dois acontecimentos importantes, mas que não alteraram a minha existência. Foram o nascimento de meu primeiro filho e a morte de Tatiana Siemiônovna. Nos primeiros tempos, o sentimento maternal apossou-se de mim com tamanha força e causou-

-me um êxtase tão inesperado que eu pensei estar em vias de iniciar-se para mim uma vida nova; mas, decorridos dois meses, quando tornei a frequentar a sociedade, este sentimento, diminuindo sempre, transformou-se num hábito e na fria execução de um dever. O meu marido, pelo contrário, por ocasião do nascimento de nosso primeiro filho, voltou a ser o homem tranquilo, pacato e caseiro de antes e transferiu para a criança toda a sua ternura e alegria de outros tempos. Muitas vezes, ao entrar de vestido de baile no quarto da criança, a fim de fazer sobre esta o sinal da cruz, antes que adormecesse, e encontrando ali meu marido, eu notava o seu olhar como que de censura e severamente atento, fixo em mim, e ficava envergonhada. Horrorizava-me de repente com a minha indiferença pela criança e perguntava de mim para mim: "Serei eu pior que as outras mulheres? Mas o que fazer? Amo o meu filho, mas não posso ficar sentada com ele dias a fio, tenho tédio; e de modo algum vou fingir". A morte da mãe causou-lhe grande aflição; conforme dizia, era-lhe penoso, depois disso, viver em Nikólskoie, e embora eu a lastimasse e partilhasse o desgosto do meu marido, era-me agora mais agradável, mais tranquilo, viver no campo. Passamos a maior parte daqueles três anos na cidade, eu ia à aldeia somente por dois meses, e no terceiro ano viajamos para o estrangeiro.

No verão íamos a estações de águas.

Eu tinha então vinte e um anos, as nossas finanças, pensava, eram florescentes, e da vida familiar eu não exigia nada além daquilo que ela me dava; todos os nossos conhecidos pareciam gostar de mim; tinha boa saúde, os meus vestidos eram os melhores na estação de águas, eu sabia que era bonita, o tempo estava lindo, cercava-me uma atmosfera de elegância e beleza e eu me sentia muito alegre. Não era a mesma alegria que em Nikólskoie, quando eu sentia ser feliz no próprio imo, feliz por ter merecido essa felicidade, que o meu sentimento era grande, mas devia ser ainda maior, quando sentia desejar mais e mais felicidade. Então, era outra coisa;

mas, mesmo nesse verão, eu me sentia bem. Não queria nada, não esperava nada, não temia nada, minha vida, parecia-me, estava repleta, e minha consciência parecia tranquila. Entre a mocidade dessa estação não havia nenhum homem que eu distinguisse dos demais de algum modo, ou mesmo do velho príncipe K., nosso embaixador, e que me fazia a corte. O jovem e o velho, o inglês muito louro e o francês de barbicha, todos eram iguais para mim, mas todos indispensáveis. Eram todos vultos por igual indiferentes, que formavam a alegre atmosfera de vida ao redor de mim. Apenas um deles, o marquês italiano D., chamou minha atenção mais que os restantes, graças à ousadia com que expressou o seu entusiasmo por mim. Não perdia nenhuma ocasião de estar comigo, de dançar, de passear comigo a cavalo, de acompanhar-me ao cassino etc. e de dizer-me que eu era bela. Vi-o da janela algumas vezes, nas proximidades de nossa casa, e o olhar fixo, frequentemente desagradável, dos seus olhos brilhantes obrigava-me a enrubescer e a desviar o rosto. Era moço, bonito, elegante e, sobretudo, lembrava o meu marido pelo sorriso e pela expressão da fronte, embora fosse muito mais belo. Ele espantava-me com esta semelhança, ainda que tivesse de modo geral, nos lábios, no olhar, no queixo comprido, em lugar da encantadora expressão de bondade e de tranquilidade ideal de meu marido, algo animal e grosseiro. Eu supunha então que ele me amasse apaixonadamente, e pensava nele às vezes, com uma orgulhosa comiseração. Queria às vezes acalmá-lo, levá-lo a um tom de confiança tranquila, meio amigável, mas ele repelia abruptamente todas essas tentativas e continuava a perturbar-me desagradavelmente com a sua paixão inconfessada, mas sempre pronta a confessar-se. Embora não desse conta disso a mim mesma, eu temia aquele homem e, contra a minha vontade, pensava nele com frequência. O meu marido conhecia-o e tratava-o com frieza e altivez, de maneira ainda mais acentuada do que em relação aos nossos demais conhecidos, para os quais ele era apenas o marido de sua mulher. No fim da estação, adoeci e passei duas semanas sem sair de casa. Quando, depois da doença, saí pela primeira vez à noitinha a fim de ouvir música, soube que, na minha ausência, chegara Lady S., havia muito esperada e famosa pela sua beleza. Formou-se junto a mim um círculo, fui recebida com satisfação, mas o círculo formado junto à leoa recém-chegada era ainda melhor. À minha volta, todos só falavam dela e da sua beleza. Ela me foi mostrada, e realmente era encantadora, mas impressionou-me desfavoravelmente a presunção em seu rosto, e eu disse isto. Nesse dia, pareceu-me aborrecido tudo o que antes era tão alegre. No dia seguinte, Lady S. organizou uma excursão a um castelo, mas recusei-me a participar. Quase ninguém ficou para me fazer companhia, e tudo se alterou definitivamente aos meus olhos. Tudo e todos me pareceram estúpidos e enfadonhos, quis chorar, terminar o quanto antes a cura de águas e regressar à Rússia. Tinha no íntimo certo sentimento mau, mas eu ainda não o confessava a mim mesma. Alegando que estava fraca, deixei de aparecer em sociedade numerosa, somente de manhã ia de raro em raro tomar as águas, sozinha, ou visitava as redondezas, na companhia de L. M., uma russa minha conhecida. Meu marido fora passar alguns dias em Heidelberg, onde esperaria o fim de meu tratamento, a fim de voltarmos para a Rússia, e raramente vinha visitar-me.

De uma feita, Lady S. atraiu toda a sociedade para uma caçada e, depois do jantar, L. M. e eu fomos visitar o castelo. Enquanto avançávamos a passo em nossa caleça, sobre a estrada tortuosa de macadame, em meio aos castanheiros seculares, entre os quais se viam ao longo as bonitas e elegantes redondezas de Baden-Baden, iluminadas pelo poente, começamos a conversar a sério, como jamais o fizéramos. L. M., que eu conhecia desde muito tempo, apareceu-me então pela primeira vez como uma mulher boa, inteligente, com quem se podia falar a respeito de tudo e de quem era agradável ser amiga. Falamos de família, de filhos, do vazio daquela vida na estação de águas, tivemos vontade de voltar para a Rússia, para a aldeia, e sentimos ao mesmo tempo tristeza e bem-estar. Sob o influxo deste mesmo sentimento sério, penetramos no castelo. Entre os seus muros, havia sombra, frescor; em cima, sobre as ruínas, cintilava o sol, ouviam-se passos e vozes. Pela porta, como se fosse moldura, via-se o panorama de Baden, belo, mas frio para nós, russos. Sentamo-nos para descansar e olhamos em silêncio o sol que se punha. As vozes ressoaram com maior nitidez, e eu tive a impressão de distinguir o meu sobrenome. Comecei a prestar atenção e involuntariamente ouvi tudo o que se dizia. As vozes eram conhecidas: tratava-se do marquês D. e de um francês, seu amigo, e que eu conhecia também. Falavam de mim e de Lady S. O francês comparava-me com ela e pormenorizava a beleza de ambas. Não dizia nada de ofensivo, mas o sangue afluiu-me ao coração, quando distingui as suas palavras. Explicava minuciosamente o que eu tinha de bonito e o que havia de bonito em Lady S. Eu tinha já um filho, e Lady S. estava com dezenove anos; eu tinha trança mais bela, mas, em compensação, Lady possuía um vulto mais gracioso; Lady era uma grande dama, enquanto esta "sua — disse ele — é mais ou menos uma dessas princesinhas russas que deram para aparecer aqui com tanta frequência". Concluiu dizendo que eu fazia muito bem não tentando lutar com Lady S., e que em Baden-Baden, eu estava morta e enterrada.

— Tenho pena dela.

— Só se ela não quiser consolar-se com você — acrescentou ele, com um riso alegre e cruel.

— Se ela partir daqui, vou segui-la — disse rudemente uma voz com sotaque italiano.

— Que feliz mortal! Ele ainda pode amar! — riu o francês.

— Amar! — disse a voz e calou-se um pouco. — Eu não posso deixar de amar! Sem isto, não há vida. Fazer da vida um romance é o que pode haver de bom. O meu romance nunca se interrompe no meio, e também este eu hei de levar ao fim.

— *Bonne chance, mon ami*[18] — disse o francês.

Não ouvimos mais nada, pois eles dobraram uma esquina, e os seus passos ressoaram do outro lado. Desciam a escada e, instantes mais tarde, surgiram por uma porta lateral e ficaram muito surpreendidos ao encontrar-nos. Corei quando o marquês D. aproximou-se de mim e fiquei com medo quando, ao sairmos do castelo, ele me deu o braço. Não podia recusá-lo, e dirigimo-nos para a caleça, seguindo L. M., que ia na frente com o amigo dele. Eu estava ofendida com o que dissera de mim o francês, embora tivesse consciência, secretamente, de que ele apenas nomeara o que eu mesma sentia; mas as palavras do marquês surpreenderam-me e deixaram-me indignada com a sua brutalidade. Atormentava-me o pensamento de que eu ouvira as suas palavras e que, apesar disso, ele não me temia. Tinha asco de senti-lo tão perto; e, sem olhar para ele, sem lhe responder, procurando segurar o braço de modo a não sentir o contato, caminhei apressada atrás de L. M. e do francês. O marquês dizia algo sobre a vista magnífica, sobre a felicidade inesperada de me encontrar e alguma coisa mais, porém eu não o ouvia. Nessa ocasião, pensava em meu marido, no filho, na Rússia; envergonhava-me de algo, queria algo, e apressava-me para chegar o quanto antes ao meu quarto solitário no *Hôtel de Bade*, a fim de refletir bem, em liberdade, em tudo o que acabara de se levantar em meu íntimo. Mas L. M. caminhava suavemente, ainda estávamos longe da caleça, e o meu cavalheiro, parecia-me, diminuía obstinadamente o passo, como que tentando deter-me. "Não pode ser!" — pensei e apressei-me decididamente. Mas sem dúvida alguma ele me retinha, e até me apertava o braço. L. M. dobrou uma curva da estrada e ficamos completamente a sós. Tive medo.

---

[18] Em francês no original: "Boa sorte, meu amigo". (N. do T.)

— Desculpe — disse eu com frieza e tentei retirar o braço, mas a renda da minha manga prendeu-se num botão dele. O marquês inclinou para mim o peito, pôs-se a separar a manga do botão, e os seus dedos sem luva tocaram-me o braço. Um sentimento novo para mim, não sei se de horror, não sei se de prazer, percorreu-me frígido a espádua. Olhei-o, a fim de expressar com um olhar frio todo o desprezo que sentia por ele; porém o meu olhar expressou outra coisa: susto e perturbação. Os seus olhos incendiados, úmidos, bem junto ao meu rosto, olhavam-me apaixonados, o meu pescoço, o meu peito, as suas mãos mexiam em meu braço, pouco acima do punho, os seus lábios abertos diziam algo, diziam que ele me amava, que eu era tudo para ele, e esses lábios aproximavam-se de mim, as suas mãos apertavam-me os braços com mais força e queimavam-me. O fogo percorria-me as veias, minha visão obscurecia-se, eu tremia, e as palavras, com que eu queria detê-lo, secavam-se na garganta. De repente, senti um beijo sobre a face e, toda trêmula e fria, estaquei, olhando para ele. Sem forças para falar, nem para me mexer, horrorizada, eu esperava e desejava algo. Tudo isso durou um instante. Mas esse instante foi terrível! Nesse instante, eu o via inteiro e tão bem. O seu rosto era tão compreensível para mim: essa testa abrupta e baixa, que lhe aparecia sob o chapéu de palha e que lembrava a testa de meu marido, esse nariz bonito, reto, de narinas dilatadas, esses bigodes compridos, untados, em ponta, essa barbicha, essas faces bem escanhoadas e esse pescoço queimado.

Odiava-o e temia-o, ele me era tão estranho; mas, nesse momento, repercutiam tão fortemente em meu íntimo a perturbação e a paixão desse homem odioso, estranho para mim! Eu queria tão incoercivelmente entregar-me aos beijos dessa boca rude e bonita, ao carinho dessas mãos brancas de veias finas e com anéis nos dedos. Tinha tanta vontade de me atirar de cabeça no abismo de repente aberto, e que me atraía, o abismo das delícias proibidas...

"Sou tão infeliz — pensei —, pois bem, que mais e mais desgraças se acumulem sobre a minha cabeça."

Ele me envolveu com um dos braços e abaixou-se para o meu rosto. "Que mais e mais vergonha e pecado se acumulem sobre a minha cabeça."

— *Je vous aime*[19] — murmurou ele com uma voz que era tão parecida com a voz de meu marido. Lembrei-me de meu marido e do filho como criaturas queridas, que tivessem existido havia muito tempo e com as quais eu tivesse acabado qualquer relação. Mas eis que ressoou além da curva a voz de L. M., que me chamava. Voltei a mim, desvencilhei o braço e, sem olhar para ele, quase corri na direção de L. M. Sentamo-nos na caleça e somente então olhei-o. Tirara o chapéu e perguntava algo, sorrindo. Não compreendia a repugnância inexprimível que eu sentia por ele nesse instante.

Minha vida pareceu-me tão infeliz, o futuro tão sem esperança, o passado tão negro! L. M. falava comigo, mas eu não compreendia suas palavras. Tinha a impressão de que ela falava comigo unicamente por compaixão, a fim de ocultar o desprezo que eu suscitava nela. Em cada palavra, em cada olhar seu, eu parecia perceber esse desprezo e uma comiseração ofensiva. Aquele beijo queimava-me a face com a vergonha, e era insuportável para mim a lembrança de meu marido e do filho. Ficando sozinha no quarto, eu esperava refletir sobre a minha situação, mas tinha medo de estar sozinha. Não acabei de tomar o chá que me serviram, e, eu mesma sem saber para quê, com uma pressa febril, pus-me no mesmo instante a arrumar as malas para viajar naquela noite para Heidelberg, a fim de reunir-me a meu marido.

Quando me sentei com a empregada no vagão vazio, quando o trem partiu e recebi ar fresco pela janela, comecei a voltar ao normal e a representar melhor, para mim mesma, meu passado e meu futuro. Toda a minha vida de casada, des-

---

[19] Em francês no original: "Eu te amo". (N. do T.)

de o dia de nossa mudança para Petersburgo, apareceu-me de repente sob uma luz nova e depositou-se sobre a minha consciência como uma censura. Pela primeira vez, lembrei vivamente os nossos primeiros tempos na aldeia, os nossos projetos, pela primeira vez surgiu-me na cabeça a pergunta: quais foram, afinal, as alegrias dele no decorrer de todo esse tempo? E me senti culpada perante ele. "Mas por que ele não me deteve, por que foi insincero comigo, por que evitou explicações, por que me ofendeu? — perguntei a mim mesma. — Por que não utilizou sobre mim o poderio do seu amor? Ou não me amava?" Mas, por mais culpa que ele tivesse, o beijo de um homem estranho estava ali sobre a minha face, e eu o sentia. Quanto mais eu me aproximava de Heidelberg, mais nitidamente imaginava o meu marido e tanto mais terrível me parecia a próxima entrevista. "Vou dizer-lhe tudo, tudo, resgatarei tudo perante ele com lágrimas de arrependimento — pensei — e ele há de me perdoar." Mas eu mesma não sabia o que era aquele "tudo" que eu lhe diria, e não acreditava em que ele me perdoasse.

Mas apenas entrei no quarto de meu marido e vi o seu rosto tranquilo, ainda que surpreendido, senti que não tinha nada a dizer-lhe, não tinha o que confessar nem motivo para lhe pedir perdão. A aflição inconfessada e o arrependimento deviam conservar-se dentro de mim.

— Como foi que tiveste esta ideia? — disse ele. — Imagina que eu pretendia ir amanhã para junto de ti. — Mas, examinando mais de perto o meu rosto, pareceu assustar-se. — O que tens? O que te aconteceu?

— Nada — respondi, mal contendo as lágrimas. — Vim de vez. Vamos para casa, para a Rússia, nem que seja amanhã.

Olhou-me bastante tempo, em silêncio e com atenção.

— Mas conta-me o que te aconteceu. — disse.

Corei sem querer e baixei os olhos. Nos dele faiscou um sentimento de ofensa e ira. Assustei-me com os pensamentos que podiam acudir-lhe à mente, e disse com uma força de fingimento que nem suspeitava em mim:

— Não aconteceu nada, apenas senti tristeza e tédio sozinha, e pensei muito em ti e em nossa vida em comum. Faz tanto tempo que sou culpada diante de ti! Por que viajas comigo para lugares que não te atraem? Faz muito tempo que sou culpada diante de ti — repeti, e lágrimas voltaram-me aos olhos. — Vamos para a roça, e que seja para sempre.

— Ah! meu bem, livra-me de cenas sentimentais — disse ele com frieza —, é excelente que tu queiras ir para a roça, inclusive porque estamos com pouco dinheiro; mas, quanto a viver lá para sempre, é apenas um sonho. Eu sei que não vais tolerar. E agora, toma o teu chá, isto será melhor — concluiu, erguendo-se para chamar o garção.

Eu imaginava tudo o que ele podia estar pensando a meu respeito, e ofendi-me com os pensamentos terríveis que atribuí a ele, quando encontrei, fixo em mim, o seu olhar indeciso e como que envergonhado. Não! Ele não queria e não podia compreender-me! Eu disse que ia olhar a criança, e afastei-me dele. Tive vontade de ficar sozinha e chorar, chorar, chorar...

IV

A casa vazia, há muito não aquecida, de Nikólskoie reviveu, porém não reviveu aquilo que a habitava. Mamãe não existia mais e estávamos a sós, frente a frente. Mas agora não precisávamos da solidão, ela até nos constrangia. O inverno foi tanto pior para mim que eu estive doente e só me refiz após o nascimento do meu segundo filho. As minhas relações com o marido continuavam também a ser friamente amistosas, como nos tempos da nossa vida na cidade, mas, na aldeia, cada taco do assoalho, cada parede e cada divã lembravam-me o que ele era para mim e o que eu perdera. Havia entre nós como que uma ofensa não perdoada, era como se ele me castigasse por algo e fingisse não o perceber. Não havia por que pedir perdão: ele me castigava apenas não se entregando a mim totalmente, não me dando toda a sua alma, como outrora; mas não a entregava também a nada nem a ninguém, como se não a tivesse mais. Às vezes, vinha-me à mente que ele apenas fingia ser assim, a fim de me atormentar, mas que nele estava ainda vivo o sentimento de antes, e eu procurava suscitá-lo. Mas, todas as vezes, parecia evitar a franqueza, como se me suspeitasse de fingimento e temesse, como ridícula, toda sensibilidade. O seu olhar e o tom da sua voz diziam: sei tudo, tudo, não há o que dizer; sei também tudo o que tu queres dizer. E também sei que dirás uma coisa e farás outra. A princípio, eu ficava ofendida com este medo da sinceridade, mas depois habituei-me à ideia de que não era insinceridade, e sim falta de uma necessidade de ser sincero. Agora, a minha língua não se moveria para lhe dizer de repente que o amava, ou para lhe pedir que rezasse comigo umas orações, ou então chamá-lo para ouvir-me tocar piano. Já se podia perceber entre nós determinadas relações de conveniência. Vivíamos cada um do seu lado. Ele com as suas ocupações, nas quais eu não precisava e não queria agora participar, eu com o meu ócio, que não o ofendia nem entristecia, como outrora. As crianças ainda eram demasiado pequenas e não podiam unir-nos.

Chegou, porém, a primavera, Kátia e Sônia vieram ao campo, a fim de passar o verão, nossa casa em Nikólskoie entrou em reforma e mudamos para Pokróvskoie. Ali, era a mesma casa velha com terraço, com a mesa dobradiça e um piano no salão claro, com o meu antigo quarto de cortinas brancas, com os meus sonhos de moça, que pareciam esquecidos ali. Havia neste pequeno quarto duas caminhas: uma que fora minha, e na qual eu de noite fazia o sinal da cruz sobre o gorducho Kokocha,[20] de braços e pernas espalhados, e a outra pequena, sobre a qual o rostinho de Vânia[21] espiava dentre os cueiros. Depois de fazer sobre eles o sinal da cruz, eu muitas vezes parava em meio ao quieto quartinho, e de súbito erguiam-se de todos os cantos, das paredes, das cortinas, antigas e esquecidas visões da mocidade. Vozes de outrora entoavam canções de moça. E onde estavam aquelas visões? Onde estavam as canções queridas e suaves? Realizara-se tudo o que eu mal ousara esperar. Os sonhos imprecisos, confusos, tornaram-se realidade; e a realidade transformou-se numa vida pesada, difícil, sem alegria. E tudo era como dantes: viam-se pela janela o mesmo jardim, a mesma área, o mesmo caminho, o mesmo banco ali sobre a ravina, os mesmos cantos de rouxinol vinham do açude, os mesmos lilases apareciam em plena floração, e a mesma lua estava pa-

---

[20] Diminutivo brincalhão de Nikolai. (N. do T.)

[21] Diminutivo de Ivan. (N. do T.)

rada sobre a casa; no entanto, tudo se transformara de modo tão terrível, tão impossível! Era tão frio tudo o que podia ter sido tão próximo e querido! Tal como outrora, estou sentada com Kátia na sala de visitas, conversando a respeito dele. Mas Kátia ficou enrugada, amarelou, os olhos não lhe brilham mais de esperança e alegria, mas expressam comiseração, tristeza e simpatia. Não nos extasiamos mais com ele, como em outros tempos, nós o julgamos, não nos espantamos com o porquê e o para quê de sermos tão felizes, e não pretendemos, como outrora, contar a todo mundo aquilo que estamos pensando; ficamos murmurando como conspiradoras, e, pela centésima vez, perguntamos uma à outra por que tudo se transformou tão tristemente. E ele é sempre o mesmo, apenas se tornou mais funda a ruga que tem entre as sobrancelhas, possui mais cabelos grisalhos nas têmporas, mas o seu olhar profundo e atento está continuamente afastado de mim por uma nuvem que o tolda. Eu sou a mesma, porém não há em mim amor, nem desejo de amor. Não há necessidade de trabalho, nem satisfação comigo mesma. E parecem-me tão distantes e impossíveis os antigos êxtases religiosos, o antigo amor por ele, a antiga plenitude da existência. Eu não compreenderia agora aquilo que antes me parecia tão claro e justo: ser uma felicidade viver para outrem. Por que para outrem, quando não se tem vontade de viver mesmo para si?

Eu abandonara completamente a música desde que nos mudamos para Petersburgo; mas agora o velho piano, os velhos cadernos de notas, atraíram-me novamente.

De uma feita, sentindo-me adoentada, fiquei sozinha em casa; Kátia e Sônia foram com ele a Nikólskoie, a fim de olhar a construção. A mesa estava posta para o chá, fui para baixo e, esperando-os, sentei-me ao piano. Abri a sonata *Quasi una fantasia* e pus-me a tocá-la. Não se via nem se ouvia ninguém, as janelas estavam abertas para o jardim; e ressoaram na sala os sons conhecidos, de uma dolência solene. Terminada a primeira parte, espiei de todo inconsciente, por um velho costume, para o canto em que ele costumava ficar sentado, ouvindo-me. Mas ele não estava; a cadeira, há muito não mexida, permanecia no mesmo canto; via-se pela janela um tufo de lilases sobre o poente claro, e o frescor noturno jorrava pelas janelas abertas. Apoiei ambos os braços sobre o piano, fechei o rosto com as mãos e fiquei pensativa. Passei muito tempo sentada assim, lembrando com sofrimento o passado, o irreversível, e inventando timidamente algo novo. Mas parecia não existir mais nada pela frente, era como se eu nada mais desejasse nem esperasse. "Será possível que já vivi minha vida?" — pensei, soergui horrorizada a cabeça e, procurando esquecer e não pensar, pus-me novamente a tocar, e sempre o mesmo *andante*. "Meu Deus! — pensei — Perdoa-me se eu sou culpada, ou devolve-me tudo o que eu tinha de tão belo em meu íntimo, ou então ensina-me o que fazer e como viver agora." Rodas ressoaram sobre o capim, vozes conhecidas e cautelosas ouviram-se à entrada da casa, depois sobre o terraço, calando-se em seguida. Mas foi um sentimento diferente dos de outrora que respondeu ao som desses passos conhecidos. Quando terminei, os passos ouviram-se atrás de mim e certa mão pousou-me no ombro.

— Como foste inteligente em tocar esta sonata — disse ele.

Continuei calada.

— Não tomaste chá?

Meneei negativamente a cabeça e não me voltei para ele, a fim de não revelar os sinais de perturbação, que me ficaram no rosto.

— Elas virão nesse instante; o cavalo começou a fazer das suas, e elas vêm a pé desde a estrada principal — disse ele.

— Vamos esperá-las — retruquei, e saí para o terraço, esperando que me seguisse; mas ele perguntou pelas crianças e foi vê-las. Novamente a sua presença, a sua voz singela, bondosa, desmentiu que eu tivesse perdido algo. O que mais eu tinha a desejar? Ele era bondoso, de gênio brando, bom marido, bom pai, eu mesma não sabia o que mais me faltava. Saí para o balcão e sentei-me sob a lona do terraço, sobre o mesmo banco em que estivera sentada no dia da nossa declaração. O sol já se pusera, começava a escurecer, uma nuvenzinha escura de primavera estava suspensa sobre a casa e o jardim; somente atrás das árvores via-se uma faixa limpa de céu, com o poente que se apagava e uma estrelinha noturna, que acabava de se acender. A sombra da nuvenzinha leve pairava sobre todas as coisas, e tudo estava à espera da suave chuva de primavera. O vento imobilizara-se, não se movia uma folha, um talo de erva, o aroma do lilás e da cerejeira-brava pairava tão intenso no jardim e sobre o terraço, como se todo o ar florisse, e, por ondas, ora enfraquecia de repente, ora se fortalecia, de modo que dava vontade de fechar os olhos, não ver nem ouvir nada, e só sentir esse doce aroma. As dálias e tufos de roseiras, ainda sem flores, alongados e imóveis no seu canteiro negro e revolvido, pareciam subir lentamente sobre os seus brancos e lisos tutores; rãs coaxavam, em uníssono e com um som penetrante, no fundo da ravina, esgoelando-se como se fossem os seus últimos gritos antes da chuva, que as enxotaria para a água. Um indefinido som aquático, fino e incessante, pairava sobre este grito. Rouxinóis dialogavam a intervalos, e ouvia-se como voavam sobressaltados de um lugar a outro. Novamente nesta primavera, um rouxinol tentou instalar-se na moita sob a janela, e, quando eu saí, ouvi que ele se mudara para além da alameda, onde trinara uma vez e calara-se, igualmente em expectativa de chuva.

Era em vão que eu procurava acalmar-me: esperava e desejava algo.

Ele voltou de cima e sentou-se a meu lado.

— Parece que elas vão se molhar.

— Sim — retruquei, e ficamos muito tempo calados.

No entretanto, na ausência de vento, a nuvem descia cada vez mais; tudo se tornava mais quieto, mais cheiroso e imóvel, e de repente uma gota caiu e como que saltou sobre o toldo de lona do terraço, uma outra esfacelou-se sobre o pedregulho do caminho; houve um estalo sobre as bardanas e gotejou uma chuvinha graúda, fresca, cada vez mais forte. Rãs e rouxinóis calaram-se de todo, apenas o som fino, aquático, ainda que parecesse mais distante por causa da chuva, mantinha-se sempre parado no ar, e certo pássaro, provavelmente escondido entre as folhas secas, perto do terraço, soltava com regularidade duas notas monótonas. Ele se levantou e quis afastar-se.

— Aonde vais? — perguntei, retendo-o. — É tão bom aqui.

— É preciso mandar para elas um guarda-chuva e galochas.

— Não precisa, a chuva já vai passar.

Concordou e ficamos junto à balaustrada do terraço. Apoiei a mão numa barra molhada, escorregadia, e pus a cabeça para fora. A chuvinha fresca borrifou-me irregularmente os cabelos e o pescoço. Clareando e tornando-se mais rala, a nuvenzinha desfazia-se em água sobre nós; o som regular da chuva foi substituído por umas gotas espaçadas, caídas de cima e das folhas. Embaixo, novamente coaxaram as rãs, rouxinóis tornaram a se sacudir e passaram a responder um ao outro, de dentro das moitas molhadas, ora de um, ora de outro lado. Tudo se aclarou na nossa frente.

— Que bom! — disse ele, sentando-se sobre a balaustrada e passando a mão sobre os meus cabelos molhados.

Esse carinho singelo atuou sobre mim como uma censura, tive vontade de chorar.

— Do que mais precisa o homem? — disse ele. — Estou agora tão contente que não preciso de nada, completamente feliz!

"Não foi assim que falaste um dia sobre a tua felicidade — pensei. — Por maior que ela fosse, dizias, querias algo mais e mais. E agora estás tranquilo e satisfeito, enquanto eu tenho na alma como que um arrependimento inconfessado e lágrimas não choradas."

— Também me sinto bem — disse eu —, mas dá tristeza justamente o fato de que tudo seja tão bom diante de mim. Dentro, tenho tanta incoerência, tudo é tão incompleto, há tanto desejo de algo; e aqui, tudo é tão belo e sossegado. Será possível que também em ti uma angústia não se acrescente ao deleite com a natureza, como se quisesses algo impossível e lamentasses algo que passou?

Ele retirou a mão da minha cabeça e calou-se algum tempo.

— Sim, antes isto me acontecia também, principalmente na primavera — disse ele, como que lembrando alguma coisa. — Também eu passei noites sentado, querendo e esperando algo, e eram noites boas!... Mas, então, tudo estava pela frente, e agora tudo ficou para trás; agora, basta-me o que tenho, e sinto-me bem — concluiu com um tom convictamente descuidado, a tal ponto que, embora me fosse muito doloroso ouvir isto, acreditei que dizia verdade.

— E não te faz falta nada? — perguntei.

— Nada que seja impossível — respondeu ele, adivinhando o meu sentimento. — Quanto a ti, estás aí molhando a cabeça — acrescentou, acariciando-me como a uma criança, passando-me novamente a mão sobre os cabelos —, invejas as folhas e a erva, porque são molhadas pela chuva, gostarias de ser a erva, a folhagem, a chuva. E eu apenas me alegro com elas, como me alegro com tudo o que é belo, jovem e feliz no mundo.

— E não lamentas nada do que passou? — continuei a perguntar, percebendo em meu coração um sentimento cada vez mais penoso.

Ficou pensativo e tornou a calar-se. Vi que procurava responder com toda franqueza.

— Não! — respondeu ele, lacônico.

— Não é verdade! Não é verdade! — disse eu, voltando-me para ele e fitando-o nos olhos. — Não lamentas o passado?

— Não! — repetiu. — Sou grato por ele, mas não o lamento.

— Mas não gostarias de fazê-lo voltar?

Ele virou a cabeça e pôs-se a olhar para o jardim.

— Não quero isso, como não quero que me cresçam asas — disse. — Não se pode!

— E não corriges o passado? Não censuras a ti mesmo ou a mim?

— Nunca! Tudo aconteceu para melhor.

— Escuta! — disse eu, tocando-lhe o braço, para que se voltasse para mim. — Escuta: por que nunca me disseste o que querias, para que eu vivesse exatamente de acordo com a tua vontade, por que me deste liberdade, que eu não sabia usar, por que deixaste de me ensinar? Se quisesses, se me orientasses de outro modo, não teria acontecido nada, nada — disse eu, com uma voz em que se expressava cada vez mais fortemente uma fria mágoa e censura, em lugar do antigo amor.

— O que não teria acontecido então? — perguntou surpreso, virando-se na minha direção. — Está tudo bem. Muito bem — acrescentou com um sorriso.

"Será possível que ele não compreenda ou, o que é pior ainda, não queira compreender?" — pensei e lágrimas apareceram-me nos olhos.

— Não teria acontecido que eu, em nada culpada diante de ti, fosse castigada com a tua indiferença, com o teu desprezo até — disse eu de repente. — Não teria acontecido que, sem qualquer culpa minha, me tivesses retirado de repente tudo o que me era caro.

— O que é isso, coração?! — disse ele, como que não compreendendo o que eu dizia.

— Não, deixa-me falar até o fim... Tiraste-me a tua con-

Felicidade conjugal

fiança, o amor, a consideração até; porque eu não acreditarei que me ames agora, depois do que aconteceu. Não, preciso dizer de uma vez tudo o que me atormenta há muito tempo — interrompi-o novamente. — Serei eu culpada porque não conhecia a vida, e tu me deixaste sozinha em minha busca?... Serei culpada porque nesse momento, quando eu mesma compreendi o que é preciso, quando eu, vai fazer um ano já, bato-me por voltar para junto de ti, tu me repeles, como se não compreendesses o que eu quero, e tudo se passa de tal modo que não se pode censurar-te nada, e eu sou culpada e infeliz ao mesmo tempo?! Sim, queres atirar-me de novo num tipo de existência que poderia ter feito a minha infelicidade e a tua.

— Mas como foi que eu te mostrei isso? — perguntou ele, com espanto e um susto sincero.

— Não disseste ainda ontem, e não dizes sempre, que não consigo viver aqui e que, no inverno, devemos viajar novamente para Petersburgo, que me é odiosa? — continuei. — Em lugar de me apoiar, evitas toda franqueza, toda palavra sincera, carinhosa, comigo. E depois, quando eu tiver caído de vez, vais censurar-me e alegrar-te com a minha queda.

— Espera, espera — disse ele com severidade e frieza —, é ruim o que dizes agora. Isto apenas demonstra que estás mal disposta em relação a mim, que tu não...

— Que eu não te amo? Fala! Fala! — concluí, e lágrimas correram-me dos olhos. Sentei-me num banco e tapei o rosto com um lenço.

"Aí está como ele me compreendeu!" — pensei, procurando conter os soluços, que me comprimiam. "Está acabado o nosso amor de outros tempos" — dizia-me certa voz no coração. Ele não se aproximou de mim, não me consolou. Estava ofendido com o que eu dissera. A sua voz era tranquila e seca.

— Não sei o que me censuras — começou ele. — Se é o fato de que te amei menos que antes...

— Amou! — disse eu para dentro do meu lenço, e lágrimas amargas escorreram sobre este, em maior abundância ainda.

— Nisso têm culpa o tempo e nós mesmos. Cada época tem o seu amor... — Calou-se um pouco. — Dizer-te toda a verdade, já que tu queres franqueza? Assim como naquele ano em que eu apenas te conheci, passei noites sem dormir, pensando em ti e criando eu mesmo o meu amor, e este amor crescia-me mais e mais no coração, exatamente do mesmo modo em Petersburgo e no estrangeiro eu passei noites terríveis de insônia, rompendo, destruindo este amor, que me atormentava. Eu não o destruí, mas destruí somente aquilo que me torturava, acalmei-me, e, apesar de tudo, amo ainda, mas é um outro amor.

— Sim, chamas isto de amor, mas é uma tortura — disse eu. — Por que me permitiste viver no mundo, se ele te parecia tão pernicioso que deixaste de me amar por causa dele?

— Não foi o mundo, minha amiga — disse ele.

— Por que não usaste a tua autoridade — prossegui —, não me amarraste, não me mataste? Seria melhor para mim agora que privar-me de tudo o que constituía a minha felicidade, seria bom para mim, eu não teria vergonha.

Tornei a romper em pranto e escondi o rosto.

Nesse ínterim, alegres e molhadas, Kátia e Sônia entravam no terraço, falando alto e rindo; mas, vendo-nos, silenciaram e saíram no mesmo instante.

Passamos ainda muito tempo calados; acabei de chorar as minhas lágrimas e me senti aliviada. Olhei para ele. Estava sentado, a cabeça apoiada no braço, e queria dizer algo, em resposta ao meu olhar, mas apenas suspirou pesadamente e tornou à posição anterior.

Aproximei-me dele e afastei-lhe o braço. Seu olhar voltou-se pensativo para mim.

— Sim — disse ele, como que dando prosseguimento à sua reflexão. — Todos nós, e particularmente vós mulheres, devemos viver sozinhos todo o absurdo da existência, a fim de voltar à própria vida; e não se pode crer em outra coisa. Ainda estavas longe de ter vivido então todo o absurdo simpático e encantador com que eu me extasiava em ti; e eu te deixei acabar de vivê-lo e senti não ter o direito de te constranger, embora para mim o tempo já tivesse passado havia muito.

— Mas, se me amava, por que vivias comigo e me deixavas viver este absurdo? — disse eu.

— Porque, ainda que quisesses acreditar em mim, não o conseguirias; devias conhecê-lo por ti mesma, e o conheceste.

— Tu argumentavas, argumentavas muito — disse eu.
— Amavas pouco.

Calamo-nos de novo por algum tempo.

— É cruel o que acabaste de dizer, mas é verdade — disse ele, erguendo-se de repente e pondo-se a caminhar pelo terraço — sim, é verdade. Fui culpado! — acrescentou, parando em frente de mim. — Eu não devia permitir-me amar-te, ou devia amar com mais simplicidade, sim.

— Esqueçamos tudo — disse eu timidamente.

— Não, o que passou, não há de voltar, é impossível fazê-lo voltar — e, ao dizer isso, a sua voz abrandou-se.

— Tudo já voltou — disse eu, pondo-lhe a mão no ombro.

Afastou a minha mão e apertou-a.

— Não, eu estava mentindo, ao dizer que não lamento o passado; não, eu lamento, eu choro aquele amor passado, que não existe nem pode existir mais. Quem é culpado disso? Não sei. Sobrou o amor, mas não aquele, sobrou o seu lugar, mas o amor ficou totalmente dolorido, não tem mais força nem suculência, ficaram as recordações e a gratidão, mas...

— Não fales assim... — interrompi-o. — Que tudo seja de novo como antes... Bem que isto pode ser assim? Não é mesmo? — perguntei, fitando-o nos olhos. Mas eles eram límpidos, tranquilos, e olhavam dentro dos meus sem profundidade.

Enquanto eu falava, senti que já era impossível aquilo que eu queria e que pedia a ele. Teve um sorriso tranquilo, humilde, o que me pareceu senil.

— Como és jovem ainda e como sou velho — disse ele. — Em mim, não existe mais aquilo que procuras; para quê se enganar? — acrescentou, continuando a sorrir do mesmo jeito.

Coloquei-me em silêncio ao seu lado, e senti maior tranquilidade interior.

— Não procuremos repetir a vida — prosseguiu ele —, não mintamos a nós mesmos. E quanto ao fato de não termos mais os sobressaltos e inquietações de outros tempos, que seja graças a Deus! Não temos o que procurar, nem motivo para ficar perturbados. Já encontramos, e coube-nos felicidade bastante. Agora, já temos que nos apagar e dar caminho aí está a quem — disse, apontando a ama que se acercara com Vânia e parara à porta do terraço. — Assim é, querida amiga — concluiu, inclinando para si a minha cabeça e beijando-a. Quem me beijava não era um amante, mas um velho amigo.

E do jardim erguia-se cada vez mais intensamente e com maior doçura o frescor cheiroso da noite, os sons e o silêncio tornavam-se cada vez mais solenes, as estrelas acendiam-se no céu com maior frequência. Olhei-o e, de repente, senti a alma leve, era como se me tivessem tirado o nervo moral doente, que me obrigara a sofrer. Percebi de repente, com nitidez e tranquilidade, que o sentimento daquele tempo passara irrevogavelmente, assim como o próprio tempo, e que fazê-lo voltar seria não só impossível, mas até penoso e constrangedor. E ademais, seria mesmo tão bom aquele tempo que me parecia tão feliz? E tudo isso acontecera havia tanto, tanto tempo!

— Mas já está na hora do chá! — disse ele e fomos juntos para a sala de visitas. À porta, encontrei novamente a ama com Vânia. Tomei nos braços a criança, cobri as suas perninhas vermelhas e desnudas, apertei-a contra mim e beijei-a, mal encostando os lábios. Como que dormindo, ele moveu a mãozinha de dedos enrugados e muito afastados e abriu os olhinhos turvos como se procurasse ou lembrasse algo; de repente, esses olhinhos detiveram-se sobre mim, faiscou neles um fagulha de pensamento, os labiozinhos rechonchudos, arrepanhados, começaram a mexer-se e abriram-se num sorriso. "É meu, meu, meu!" — pensei com uma tensão feliz em todos os membros, apertando-o ao peito e contendo-me a custo, para não lhe causar dor. E pus-me a beijar-lhe as perninhas frias, a barriguinha, os braços e a cabecinha em que mal despontavam cabelos. Meu marido aproximou-se de mim, fechei depressa o rosto da criança e tornei a descobri-lo.

— Ivan Sierguiéitch![22] — disse meu marido, tocando-o com o dedo abaixo do queixinho. Mas, novamente, cobri depressa Ivan Sierguiéitch. Ninguém além de mim devia olhá-lo por muito tempo. Olhei para meu marido, os seus olhos riam, fitando os meus, e pela primeira vez, depois de muito tempo, eu sentia leveza e alegria ao olhá-los.

A partir desse dia, terminou o meu romance com meu marido; o sentimento antigo tornou-se uma recordação querida, algo impossível de trazer de volta, e o novo sentimento de amor aos filhos e ao pai dos meus filhos deu início a uma nova vida, de uma felicidade completamente diversa, e que ainda não acabei de viver...

---

[22] Corruptela de Sierguiéievitch. (N. do T.)

POSFÁCIO

Boris Schnaiderman

Esta novela, *Felicidade conjugal*, publicada em 1859, pode surpreender o leitor acostumado com a pregação insistente por Tolstói de seu sistema ético-religioso. Com efeito, na mesma época em que a escreveu entregava-se com insistência à elaboração de textos moralizantes.

Assim, anotava em seu diário, em 1852: "Decididamente, não posso escrever sem objetivo e sem esperança de utilidade". E em 1855, tratava ali do "bem que eu posso fazer com os meus livros". Estas cogitações chegavam à obsessão. Basta lembrar que, em plena Guerra da Crimeia, sob o bombardeio inimigo e em meio às privações provocadas pelo assédio anglo-francês, entregou-se à ideia de fundar uma nova religião, "que corresponda ao desenvolvimento da humanidade, uma religião de Cristo, mas purificada da fé e do mistério, e que dê a bem-aventurança na terra".

Depois disso, torna-se muito compreensível que, durante a correção das provas desta novela, tenha escrito: "É uma ignomínia vergonhosa". Mas, ao mesmo tempo, felizmente, não eliminou esta "ignomínia".

Creio que na base desta oscilação encontra-se uma dualidade tolstoiana sobre a qual já escrevi mais de uma vez. Ele era um moralista feroz, implacável, mas, ao mesmo tempo, sabia como ninguém expressar a atração do carnal e as grandes fraquezas humanas tinham nele um observador genialmente perspicaz. Vejam-se nesta novela as páginas 94 a 98 do capítulo III, da segunda parte, onde a personagem feminina se sente atraída por um marquês italiano.

Ora, esta contraparte com descrição muito compreensiva das vacilações inerentes ao humano é uma constante em boa parte da obra de Tolstói. Mesmo *Anna Kariênina*, onde o adultério é condenado com "uma crueldade magnífica", segundo a expressão feliz de Eisenstein, contém páginas em que se trata com simpatia o irmão de Anna, que "trai constantemente a mulher, mas com naturalidade, como algo que não pode ser diferente, como um comportamento que faz parte do fluxo da existência", conforme escrevi um dia.[1]

É verdade que, nos últimos anos de vida, radicalizou-se a atitude moralizante de Tolstói, chegando então ao paroxismo, conforme se constata particularmente em *A Sonata a Kreutzer*.[2] Mas *Felicidade conjugal* constitui um dos momentos em que está menos imerso em seu delírio de pregador, quando ele se torna realmente insuperável.

Esta novela se diferencia de outros escritos de Tolstói, sobretudo na postura perante as injunções da moral. Assim, escreveria no diário, em 1889: "Vivemos no reino da devassidão e das mulheres. As mulheres movem tudo". Mas, em *Felicidade conjugal*, temos (p. 86) um pensamento da personagem central: "Ah! Então é este o poder do marido — pensei. — Ofender e humilhar uma mulher sem nenhuma culpa. Nisso é que consistem os direitos do marido, mas eu não me submeterei a eles". Realmente, impressiona a passagem de uma atitude compreensiva, humana, que até consegue captar um momento de revolta contra a prepotência masculina,

---

[1] Boris Schnaiderman, *Tolstói: antiarte e rebeldia* (Coleção Encanto Radical), São Paulo, Brasiliense, 1983, p. 63 [este ensaio foi republicado como posfácio a Lev Tolstói, *Khadji-Murát*, tradução, prefácio e notas de Boris Schnaiderman, São Paulo, Editora 34, 2017].

[2] Ver Lev Tolstói, *A Sonata a Kreutzer*, tradução, posfácio e notas de Boris Schnaiderman, São Paulo, Editora 34, 2007.

ao tom ranzinza e rabugento de *A Sonata a Kreutzer*, que é, no entanto, magistral como obra de obsessão e delírio.

Na edição que tenho de *Felicidade conjugal*[3] há uma nota: "Segundo testemunho do próprio Tolstói, serviu de fundamento à concepção literária desse romance a história das suas relações pessoais com V. V. Arsiênieva",[4] isto é, a moça com quem tivera um envolvimento amoroso antes de seu noivado e casamento com Sófia Behrs, que é sempre lembrada como Sófia Tolstaia, a condessa.

Na verdade, esta informação só pode ser aceita *cum granum salis*, pois a sucessão dos fatos autobiográficos nesta novela é bem tênue. Foi tudo vivido no plano da fantasia e da fabulação literária. Na vida real, não aconteceu nada que se aproximasse sequer da trama arquitetada. Aliás, Tolstói se orgulhava de sua capacidade de fabulação e, em diversas ocasiões, manifestou-se contra a cópia pura e simples, na ficção, dos acontecimentos da vida real.

Todavia, é muito comum esta leitura exageradamente biográfica de algumas de suas obras. Assim, os romances *Infância*, *Adolescência* e *Juventude*, planejados como parte de uma tetralogia, que não chegou a completar, foram às vezes editados no Ocidente com a designação *Memórias*, o que é um absurdo.

Em *Felicidade conjugal*, provoca até estranheza a ausência de certa problemática russa da época. Visto que o texto é de 1859, os fatos ali narrados decorrem no período em que se articulavam as grandes reformas do reinado de Alexandre II, inclusive a libertação dos servos da gleba, que ocorreria em 1861. No entanto, os camponeses da novela aparecem sem maior destaque, sem qualquer referência à "questão camponesa", tema candente na época. Ora, Tolstói estava então

---

[3] Lev Tolstói, *Obras reunidas* em 12 volumes, Moscou, Goslitizdát (Editora Estatal de Obras da Literatura), 1956, vol. 3.

[4] *Siemiéinoie schástie* (*Felicidade conjugal*), em *op. cit.*, p. 397.

muito envolvido com esta problemática e participava ativamente das assembleias da nobreza rural no distrito de Tula, onde ficava sua propriedade, Iásnaia Poliana.

Também, a estada das personagens numa estação de águas no exterior não suscitou qualquer das reações indignadas do escritor à vida burguesa do Ocidente.

A ação da novela se concentra no cotidiano de um casal da nobreza, sem quaisquer preocupações sociais ou políticas. Não procuremos ver em Sierguiéi Mikháilovitch um reflexo de Tolstói, pois ele não aguentaria semelhante comparação. Ao aceitar esta narrativa pura e simplesmente, sem maiores aprofundamentos históricos, veremos que nisso está a sua grandeza, sua contribuição específica. Quem quiser procure em outras obras de Tolstói sua vivência atormentada da Rússia na época. Pois temos de reconhecer: o humano e o literário encontram nesse texto o seu máximo de expressão.

SOBRE O AUTOR

Lev Nikolaiévitch Tolstói nasce em 1828 na Rússia, em Iásnaia Poliana, propriedade rural de seus pais, o conde Nikolai Tolstói e a princesa Mária Volkônskaia. Com a morte da mãe em 1830, e do pai, em 1837, Lev Nikolaiévitch e seus irmãos são criados por uma tia, Tatiana Iergolskaia. Em 1845, Tolstói ingressa na Universidade de Kazan para estudar Línguas Orientais, mas abandona o curso e transfere-se para Moscou, onde se envolve com o jogo e com as mulheres. Em 1849, presta exames de Direito em São Petersburgo, mas, continuando sua vida de dissipação, acaba por se endividar gravemente e empenha a propriedade herdada de sua família.

Em 1851 alista-se no exército russo, servindo no Cáucaso, e começa a sua carreira de escritor. Publica os livros de ficção *Infância, Adolescência* e *Juventude* nos anos de 1852, 1854 e 1857, respectivamente. Como oficial, participa em 1855 da batalha de Sebastópol, na Crimeia, onde a Rússia é derrotada, experiência registrada nos *Contos de Sebastópol*, publicados entre 1855 e 1856. De volta à Iásnaia Poliana, procura libertar seus servos, sem sucesso. Em 1859 publica a novela *Felicidade conjugal*, mantém um relacionamento com Aksínia Bazikina, casada com um camponês local, e funda uma escola para os filhos dos servos de sua propriedade rural.

Em 1862 casa-se com Sófia Andréievna Behrs, então com dezessete anos, com quem teria treze filhos. *Os cossacos* é publicado em 1863, *Guerra e paz*, entre 1865 e 1869, e *Anna Kariênina*, entre 1875 e 1878, livros que trariam enorme reconhecimento ao autor. No auge do sucesso como escritor, Tolstói passa a ter recorrentes crises existenciais, processo que culmina na publicação de *Confissão*, em 1882, onde o autor renega sua obra literária e assume uma postura social-religiosa que se tornaria conhecida como "tolstoísmo". Mas, ao lado de panfletos como *Minha religião* (1884) e *O que é arte?* (1897), continua a produzir obras-primas literárias como *A morte de Ivan Ilitch* (1886), *A Sonata a Kreutzer* (1891) e *Khadji-Murát* (1905).

Espírito inquieto, foge de casa aos 82 anos de idade para se retirar em um mosteiro, mas falece a caminho, vítima de pneumonia, na estação ferroviária de Astápovo, em 1910.

SOBRE O TRADUTOR

Boris Schnaiderman nasceu em Úman, na Ucrânia, em 1917. Em 1925, aos oito anos de idade, veio com os pais para o Brasil, formando-se posteriormente na Escola Nacional de Agronomia do Rio de Janeiro. Naturalizou-se brasileiro nos anos 1940, tendo sido convocado a lutar na Segunda Guerra Mundial como sargento de artilharia da Força Expedicionária Brasileira — experiência que seria registrada em seu livro de ficção *Guerra em surdina* (escrito no calor da hora, mas finalizado somente em 1964) e no relato autobiográfico *Caderno italiano* (Perspectiva, 2015). Começou a publicar traduções de autores russos em 1944 e a colaborar na imprensa brasileira a partir de 1957. Mesmo sem ter feito formalmente um curso de Letras, foi escolhido para iniciar o curso de Língua e Literatura Russa da Universidade de São Paulo em 1960, instituição onde permaneceu até sua aposentadoria, em 1979, e na qual recebeu o título de Professor Emérito, em 2001.

É considerado um dos maiores tradutores do russo em nossa língua, tanto por suas versões de Dostoiévski — publicadas originalmente nas *Obras completas* do autor lançadas pela José Olympio nos anos 1940, 50 e 60 —, Tolstói, Tchekhov, Púchkin, Górki e outros, quanto pelas traduções de poesia realizadas em parceria com Augusto e Haroldo de Campos (*Maiakóvski: poemas*, 1967, *Poesia russa moderna*, 1968) e Nelson Ascher (*A dama de espadas: prosa e poesia*, de Púchkin, 1999, Prêmio Jabuti de tradução). Publicou também diversos livros de ensaios: *A poética de Maiakóvski através de sua prosa* (Perspectiva, 1971, originalmente sua tese de doutoramento), *Projeções: Rússia/Brasil/Itália* (Perspectiva, 1978), *Dostoiévski prosa poesia* (Perspectiva, 1982, Prêmio Jabuti de ensaio), *Turbilhão e semente: ensaios sobre Dostoiévski e Bakhtin* (Duas Cidades, 1983), *Tolstói: antiarte e rebeldia* (Brasiliense, 1983), *Os escombros e o mito: a cultura e o fim da União Soviética* (Companhia das Letras, 1997) e *Tradução, ato desmedido* (Perspectiva, 2011). Recebeu em 2003 o Prêmio de Tradução da Academia Brasileira de Letras, concedido então pela primeira vez, e em 2007 foi agraciado pelo governo da Rússia com a Medalha Púchkin, em reconhecimento por sua contribuição na divulgação da cultura russa no exterior.

Faleceu em São Paulo, em 2016, aos 99 anos de idade.

COLEÇÃO LESTE

István Örkény
A exposição das rosas
e A família Tóth

Karel Capek
Histórias apócrifas

Dezsö Kosztolányi
O tradutor cleptomaníaco
e outras histórias de Kornél Esti

Sigismund Krzyzanowski
O marcador de página
e outros contos

Aleksandr Púchkin
A dama de espadas:
prosa e poemas

A. P. Tchekhov
A dama do cachorrinho
e outros contos

Óssip Mandelstam
O rumor do tempo
e Viagem à Armênia

Fiódor Dostoiévski
Memórias do subsolo

Fiódor Dostoiévski
O crocodilo e
Notas de inverno
sobre impressões de verão

Fiódor Dostoiévski
Crime e castigo

Fiódor Dostoiévski
Niétotchka Niezvânova

Fiódor Dostoiévski
O idiota

Fiódor Dostoiévski
Duas narrativas fantásticas:
A dócil e
O sonho de um homem ridículo

Fiódor Dostoiévski
O eterno marido

Fiódor Dostoiévski
Os demônios

Fiódor Dostoiévski
Um jogador

Fiódor Dostoiévski
Noites brancas

Anton Makarenko
Poema pedagógico

A. P. Tchekhov
O beijo
e outras histórias

Fiódor Dostoiévski
A senhoria

Lev Tolstói
A morte de Ivan Ilitch

Nikolai Gógol
Tarás Bulba

Lev Tolstói
A Sonata a Kreutzer

Fiódor Dostoiévski
Os irmãos Karamázov

Vladímir Maiakóvski
O percevejo

Lev Tolstói
Felicidade conjugal

Nikolai Leskov
Lady Macbeth do distrito de Mtzensk

Nikolai Gógol
Teatro completo

Fiódor Dostoiévski
Gente pobre

Nikolai Gógol
O capote e outras histórias

Fiódor Dostoiévski
O duplo

A. P. Tchekhov
Minha vida

Bruno Barretto Gomide (org.)
Nova antologia do conto russo

Nikolai Leskov
A fraude e outras histórias

Nikolai Leskov
Homens interessantes e outras histórias

Ivan Turguêniev
Rúdin

Fiódor Dostoiévski
A aldeia de Stepántchikovo e seus habitantes

Fiódor Dostoiévski
Dois sonhos: O sonho do titio e Sonhos de Petersburgo em verso e prosa

Fiódor Dostoiévski
Bobók

Vladímir Maiakóvski
Mistério-bufo

A. P. Tchekhov
Três anos

Ivan Turguêniev
Memórias de um caçador

Bruno Barretto Gomide (org.)
Antologia do pensamento crítico russo

Vladímir Sorókin
Dostoiévski-trip

Maksim Górki
Meu companheiro de estrada e outros contos

A. P. Tchekhov
O duelo

Isaac Bábel
No campo da honra e outros contos

Varlam Chalámov
Contos de Kolimá

Fiódor Dostoiévski
Um pequeno herói

Fiódor Dostoiévski
O adolescente

Ivan Búnin
O amor de Mítia

Varlam Chalámov
A margem esquerda
(Contos de Kolimá 2)

Varlam Chalámov
O artista da pá
(Contos de Kolimá 3)

Fiódor Dostoiévski
Uma história desagradável

Ivan Búnin
O processo do tenente Ieláguin

Mircea Eliade
Uma outra juventude
e Dayan

Varlam Chalámov
Ensaios sobre o mundo do crime
(Contos de Kolimá 4)

Varlam Chalámov
A ressurreição do lariço
(Contos de Kolimá 5)

Fiódor Dostoiévski
Contos reunidos

Lev Tolstói
Khadji-Murát

Mikhail Bulgákov
O mestre e Margarida

Iuri Oliécha
Inveja

Nikolai Ogrióv
Diário de Kóstia Riábtsev

Ievguêni Zamiátin
Nós

Boris Pilniák
O ano nu

Viktor Chklóvski
Viagem sentimental

Nikolai Gógol
Almas mortas

Fiódor Dostoiévski
Humilhados e ofendidos

Vladímir Maiakóvski
Sobre isto

Ivan Turguêniev
Diário de um homem supérfluo

Arlete Cavaliere (org.)
Antologia do humor russo

Varlam Chalámov
A luva, ou KR-2
(Contos de Kolimá 6)

Mikhail Bulgákov
Anotações de um jovem médico
e outras narrativas

Lev Tolstói
Dois hussardos

Fiódor Dostoiévski
Escritos da casa morta

Este livro foi composto em Sabon, pela Bracher & Malta, com CTP da New Print e impressão da Graphium em papel Pólen Soft 80 g/m² da Cia. Suzano de Papel e Celulose para a Editora 34, em fevereiro de 2021.